O SUICÍDIO:

UM ATO E MUITAS VERSÕES

Antonio Carlos Gaio
Lenita Bentes

O SUICÍDIO:

UM ATO E MUITAS VERSÕES

1ª Edição

Rio de Janeiro

2016

Título Original: O suicídio: um ato e muitas versões

Editor-chefe:
Tomaz Adour

Revisão:
Equipe Vermelho Marinho

Editoração Eletrônica:
Equipe Vermelho Marinho

Capa:
Eduardo Nunes

Texto revisado segundo o novo Acordo Ortográfico da Língua Portuguesa.

G143s Gaio, Antonio Carlos
O suicídio: um ato e muitas versões / Antonio Carlos Gaio / Lenita Bentes
Rio de Janeiro: Vermelho Marinho, 2016.
124 p. 14x21 cm.

ISBN: 978-85-8265-077-6

1. Psicologia. 2. Relações humanas. I. Título.

CDD: 150

EDITORA VERMELHO MARINHO USINA DE LETRAS LTDA
Rio de Janeiro – Departamento Editorial:
Rua Visconde de Silva, 60 / 102 – Botafogo – Rio de Janeiro - RJ
CEP: 22.271-092
www.editoravermelhomarinho.com.br

SUMÁRIO

INTRODUÇÃO

Lenita Bentes

Gostaria de introduzir este livro não pelo laço com o trágico que, por vezes, nos atinge em maior ou menor grau, a partir de atos radicais, diante dos quais nem sempre sabemos o que fazer, mas pelos laços do amor e da amizade que, quando são bem tecidos, atravessam décadas. Sem dúvida, o amor e a amizade são indispensáveis a todos nós. A partir deles podemos respirar quando a vida nos aperta, nos constrange e faz-nos sentir sós.

Quero introduzir, para surpresa de meu parceiro, já que este livro será escrito a quatro mãos, contando uma história pequena e verídica. História que, como tantas, confunde-se com a vida real. A vida, ela mesma, não passa de pura ficção.

Num lugar do passado, muito distante, duas jovens, muito jovens, se encontraram. Estudaram na mesma turma de uma Instituição muito conhecida no Rio de Janeiro que educava moças da classe média alta e da classe média da cidade.

Por sete anos fizeram juntas o ginásio e o curso Normal (curso de formação de professoras primárias). Deram prosseguimento à amizade que haviam construído até o momento em que se dá uma quebra, um distanciamento involuntário da parte de uma e voluntário da parte da outra. Houve uma quebra, não uma dissolução. Este livro o testemunha.

Naquela época, as alunas sentavam-se duas a duas na mesma carteira. A modernidade, e um maior isolamento, não era o estilo da época em que viveram.

Regina sentava-se com Eliane no final da sala de aula porque era uma jovem alta e forte. Um tipo de mulher que chamava a atenção, mesmo dentro de um recatado uniforme escolar. As três estavam sempre juntas. A outra jovem sentava-se na primeira carteira por ser baixa e franzina.

Como eram muito vitais, ambas, essa distância na sala de aula não as impediria de muito cedo se encontrarem e, por sete anos, se tornarem amigas inseparáveis, inclusive nos finais de semana. Mais tarde estudariam na mesma Universidade, a Santa Úrsula, mas em cursos e horários diferentes.

Românticas inveteradas, embora Regina o exteriorizasse mais que a amiga. Faziam trabalhos juntas, trocavam confidências de todo tipo, iam ao cinema raramente, gostavam de se maquiar e fazer junto as unhas como todas as jovens de sua época. Meias, calcinhas, sandálias e livros de estudo e romances davam o tom dos domingos. Eram horas e horas de boa conversa.

Naquela época, se usava os cabelos muito lisos e um dos recursos era fazer uma touca, ou seja, enrolar em volta da cabeça os cabelos, bem esticados, e depois botar uma meia de seda envolvendo-os bem esticados. Horas depois se tirava a meia e se fazia o procedimento inverso. Regina fazia isso com esmero. Seus cabelos ficavam absolutamente belos, eram sedosos e grossos, muito lindos!

Sua amiga estudava ballet, com aulas diárias e várias por dia. Em época de espetáculo, os ensaios entravam noite adentro e por isso restando-lhe os domingos para trocar estilos de roupa e coisas de mocinhas.

Regina tinha dois irmãos. Ela era a filha caçula. Morava numa casa confortável e muito acolhedora, sempre cheia de quitutes muito bem preparados por Odette, sua mãe, que recebia com seu sorriso amável e sempre acompanhado de uma oferta de algo a saborear, que Regina impedia, determinando quando o quitute deveria ser saboreado.

A amiga morava num apartamento térreo, pequenino, a ponto de nunca ter convidado Regina para dormir em sua casa. Não aceitar o convite era a maneira de não ter que retribuí-lo. Regina o percebia, claramente, mas nada era capaz de machucar aquela amizade, tão sólida quanto divertida.

Entre os objetos de adornar a feminilidade, as conversas, as divagações e muita alegria. Passaram sete belos anos uma na companhia da outra. Entre gargalhadas e lágrimas de amor derramadas com toda a razão, conferida por seus romantismos. Construíam suas vidas de tal forma que levasse em consideração, no horizonte, sempre, a tão sonhada felicidade.

Entre tantas afinidades tinham a de não desejarem uma vida comum, ou seja, uma vida com marido, empregada e filhos. O que lhes parecia um enorme tédio. Entretanto, suas escolhas viriam a desmenti-las. A amiga constituiu família e Regina partiu cedo demais rumo a sua tão sonhada felicidade com a mais radical liberdade, não sem antes tentar uma parceria que, ao menos, a fizesse sentir-se amada e desejada por um mesmo homem. Sonho que, costumeiramente, habita o coração de uma mulher.

Regina queria o amor, mas tinha exigências. Não tolerava tropeços do parceiro. Que parceiro não tropeça? O que contrastava com uma imensa meiguice quando se sentia à vontade para demonstrá-la. Sua amiga queria ser bailarina e correr o mundo dançando os clássicos da música e da dança.

Ambas desejavam viver as delícias do amor. Aventavam sobre as possibilidades de se realizarem no amor. Regina se fazia sempre a mesma pergunta: "Isso é amor ou é paixão?". Era tão difícil responder a esta pergunta! Tinham, então, vinte e dois anos ou vinte, mas não tinham, então, a menor ideia do que seria uma coisa ou outra.

Tão poucas experiências amorosas não permitiriam distinguir tais sentimentos. Porém, era como, se respondida esta questão, passassem a não mais ter problema algum. Ambas tinham excelentes razões para se fazer esta pergunta. Razões muito particulares, muito pessoais, muito íntimas.

O fato é que se uma coisa as uniu, foi a escrita das cartas de amor e de desamor pois, cada vez que Regina queria desmanchar ou retomar um namoro, era sua amiga quem escrevia as cartas para seus namorados. Cartas de amor, cartas de desamor, cartas de promessas que não seriam cumpridas, enfim, o que fosse adequado à situação amorosa em jogo.

Depois de escritas, estas cartas eram lidas por ambas, antes de serem enviadas. Riam das mentiras escritas no momento em que fossem lidas por aquele que a decepcionara.

As cartomantes também eram consultadas, acendendo as esperanças das jovens que, no fundo, não acreditavam em absolutamente nada do que ouviam. O que concluíam lhes fazia mais sentido que toda aquela baboseira de que as cartas não mentem jamais.

Eis que sua amiga, tão absolutamente correta em questões de amor, a escrivã de todas as cartas de amor das amigas do colégio, se surpreendeu perdidamente apaixonada por um homem dezoito anos mais velho que ela, e desquitado, o que à época era absolutamente incorreto. A amiga sofria com o desprezo da família, que lhe amargurava os dias, tendo dificuldade de concentrar-se nos estudos.

Regina, absolutamente solidária, ofereceu sua escuta e seu carinho, oferecendo-se para ajudá-la nas tarefas escolares. Seus grandes olhos amendoados, típicos da descendência moura da raça portuguesa, se enchiam de amor e ódio, marejados de lágrimas, enquanto a amiga contava do enorme desconforto da situação em que se encontrava.

Regina conhecera desde cedo a decepção amorosa. Sua amiga também. Os desacertos da vida dos pais de ambas foram suficientes para que soubessem ouvir uma a dor da outra. Foi como se todo o horror que Regina experimentara, agora estivesse encarnado na dor de amor de sua amiga. Ao desconforto da segregação familiar, acresceu-se a deslealdade do quase marido da amiga, o que fez Regina revoltar-se e esbravejar, amaldiçoando os homens, brandindo o castigo dos céus a todos os homens. Todos canalhas!

Havia algo de "rodrigueano" naquelas duas moças, que ia muito além dos acontecimentos cotidianos. Passavam horas a tecer hipóteses sobre seus romances e os das amigas mais próximas. Nelson Rodrigues não era um escritor que muito interessasse a uma ou a outra, mas passaram muito perto do "te perdoo por me traíres".

Dois anos mais tarde, sua amiga conheceu um homem com o qual veio a casar-se. Casamento do qual Regina foi dama de honra. Estava linda num vestido comprido de fundo branco e pastilhas vermelhas. Pode-se ver a meiguice de seus grandes olhos e sorriso nas fotos do casamento de sua amiga. Meiguice que ficou para sempre registrada na alma e na lembrança dos que a conheceram e souberam usufruir de sua presença amiga.

Regina gostava de organizar eventos. Também na escola estava sempre à frente dos acontecimentos com um esmero invejável. Por isso, os últimos domingos no apartamento da Joaquim Nabuco foram para ajudar a confeccionar a lista do chá de panelas e pensar nos detalhes da decoração do casamento.

Regina presenteou sua amiga com um jogo de panelas da Rochedo, as mais caras do mercado, e disse uma porção de coisas que invocavam a falta de habilidade de sua amiga na cozinha, habilidade que tanto Regina, quanto sua mãe, tinham de sobra. Sinceridade não lhe faltava. Se apenas se levasse sua sinceridade em conta, poderia parecer grosseira, mas, no conjunto de sua personalidade, era um ingrediente que combinava bem, dando um toque especial ao conjunto.

Regina gostava de comer bem, e bastante. Gostava de fazer doces, especialmente brigadeiros. Um de seus pratos de lanche preferidos era o "sanduíche colosso".

O casamento da amiga selaria o início de uma separação, de um adeus para sempre! A amiga foi mãe dois anos depois do casamento. Durante estes anos tentou recuperar o contato com Regina, restabelecido uma única vez, quando do nascimento de seu primeiro filho.

Regina foi à casa da amiga. Deu-lhe os parabéns pelo bebê, mas este acontecimento não lhe despertou nenhuma emoção. Trouxe a mesma pergunta: "Você é apaixonada por seu marido?". Passaram a tarde, um bom pedaço dela, conversando, mais uma vez, sobre o amor.

Nunca mais voltei a vê-la. Tentei tantas vezes! Descobri, junto com o acontecimento de sua morte, que Regina morava duas ruas atrás da rua que eu moro ainda hoje. Poderia ter ido à sua casa tantas vezes para falar de amor, agora com algumas experiências vividas! Quem sabe pudéssemos encontrar, juntas, a resposta à nossa pergunta de mocinhas, já que agora éramos duas mulheres adultas, tendo vivido as vicissitudes da relação homem x mulher. Entretanto, Regina exigia exclusividade e meu casamento a feriu!

Já não podíamos dispor das tardes de domingo, já não podíamos falar de amor com a liberdade de antes, tampouco fazer as unhas e os penteados para dormir juntas e sonhar os sonhos que ainda estaríamos por viver.

Estava grávida de meu terceiro filho, quando minha mãe, com muito cuidado, deu-me a dolorosa notícia de sua morte. Perplexa, chorei sobre mim mesma com tal emoção e desespero que temi afetar meu filho com tanta dor.

E agora? Como responder à nossa pergunta? Por que fez isso de se afastar, de se calar e de nos esquecer? Te procurei tanto! Deixei de querer saber o motivo de ter ido embora. Sei que não o faria como dizem. Sei que me traz saudades da sua presença ousada, sei que jamais te esquecerei! Sei que a paixão pode matar! O amor não! Seria esta a resposta à nossa pergunta?

Nunca quis saber dos detalhes que cercaram esse acontecimento, assim como nunca acreditei na versão de suicídio. Nem eu nem os demais com os quais, num futuro muito distante, fui encontrando.

Certo dia, recebo um convite do colégio onde estudáramos para participar de um jantar em comemoração aos cem anos da Instituição. Fui bastante emocionada ao encontro de muitas lembranças e, claro, da dupla trio com Regina: Eliane.

Minhas colegas haviam envelhecido bastante, como eu. Logo avistei Eliane Ganem. Passamos a noite conversando sobre nosso trio quando, cinquenta anos depois, soube que

Eliane havia se tornado escritora de livros infantis e juvenis e que Antonio Carlos Gaio, irmão de Regina Maria Gaio e único sobrevivente dos três irmãos, também se tornara escritor.

No decorrer da conversa, a mesma pergunta que ouvi sempre. "Você acredita mesmo nesta história de suicídio?" – Não! – respondi.

Regina é uma pergunta, é uma interrogação que inquieta. Não poderia morrer sem deixar um enigma. Este era seu habitat. Sempre uma pergunta, uma inquietação. A verdadeira mulher é assim, uma inquietação, uma insistência, um silêncio, uma não resposta, um incêndio.

Tecemos várias hipóteses. É comum, não? Quanto menos nos convencemos, as hipóteses proliferam. Por que uma mulher tão vital, tão decidida, que já havia rompido algumas relações, faria tal coisa? Tão atraente, inteligente, sem problema algum de ordem material, na flor da idade, faria tal coisa?

Mas há algo que não é uma hipótese. Regina era demasiadamente vital, meiga, engraçada, curiosa e ousada. Lamento, lamento muito que não tivesse encontrado um homem que estivesse à sua altura, um homem que fosse capaz de desarmá-la para o amor. Morreu de desamor. Esta é minha hipótese. Um agudo tiro de desamor a matou. O gatilho da vingança e da maldade a matou.

Recebi por e-mail o convite de Antonio Carlos para um encontro. Eliane avisou-o de nosso encontro no colégio. Aceitei-o imediatamente. Lá estava ele, com o mesmo sorriso, mais velho e mais gordo, como eu, mas o tempo não apagou o seu sorriso franco e me deu a oportunidade de conhecer de perto quem eu só via de relance aos domingos, correndo a buscar um livro para estudar com amigos para a faculdade ou a roupa de futebol pelo qual é preso de amor ainda hoje.

Juntos, decidimos escrever este livro. Embora em campos de convicções absolutamente distintos. Contudo, com a fé e as afinidades que tecem os laços da amizade, espero tecer com seu irmão um novo laço, não o que interrompi com Regina. Mas um laço a partir das infindáveis conversas sobre a vida, o amor e a fé – esta última nos desune –, embora a fé tenha alimentado alguns encontros onde sempre ecoam novidades e, por que não dizer, "velhidades", com as quais nos comprazemos e fortificamos o que sobreviveu a um intervalo de quarenta anos entre mim e os Gaio.

Curioso termos na vida que um dia nos uniu, Regina, o atravessamento de dois suicídios. Dois atos desconcertantes. Assim foi para mim quando de seu irmão, Luiz Jorge Gaio, como o foi para todos, porque é sempre um ato desconcertante. Depois a suposição de ter ocorrido o mesmo a Regina e, a acrescer a estas dolorosas circunstâncias, o fato de ser um tema de meu interesse desde há muitos anos.

Repito a frase de um homem a quem muito admiro e cujo nome não citarei: "As leis do destino se tecem com as regras do acaso". Estou certa de que meu amigo Gaio discordará dela inteiramente, pois sua visada é outra sobre a vida. Teremos, pela frente, uma discussão, o que considero uma a mais neste livro, entre psicanálise e religião? Modos como cada um decidiu se orientar, nada mais.

Tomara que nunca concordemos ou possamos responder a esta questão para que, assim como eu e Regina, ela possa nos valer bons anos de deliciosa amizade regada por muitas conversas.

Alea Jacta est! (A sorte está lançada!)

POR QUÊ?

Lenita Bentes

Eis aí a primeira questão que surge a todos aqueles que tiveram um ente querido que tenha praticado tal ato. A ninguém escapa tal indagação uma vez que a morte sempre é causa de horror, seja ela natural ou não. Se um ato mortífero é praticado sobre si mesmo, torna-se um espanto, uma imensa perplexidade.

Como o ser humano não suporta a falta de sentido, sempre atribui aos atos e fatos algum sentido. Então, surgem várias hipóteses, umas lógicas, outras absurdas, mas nenhuma que aproxime o ato cometido da sua causa real mas, todas, maneiras de fazer contorno ao ato, uma vez que ele faz um furo no sentido.

Mesmo quando estes motivos são explicitados por uma mensagem, ainda assim sua leitura não esgota as questões de mentes aflitas por uma razão ainda mais forte que as ali expostas, que justifique tal ato. A pergunta retorna e retorna: "haveria, ainda, outra razão suficiente para tal?".

Acompanhando alguns relatos de parentes de sujeitos que se suicidaram ou relatos de sujeitos que escaparam a este ato, pode-se observar que aquele que o pratica, não espera nada mais de si. Rompeu com a dialética eu x Outro (com a linguagem), não há mais por que dialogar com outros. Não há mais questões, apenas certezas, um acúmulo de certezas suficientes para praticá-lo. Isto é fundamental. O sujeito não espera nada do outro nem de si. É um sujeito des-esperado.

De modo resoluto, cuida para que seu ato não seja falho, como veremos adiante, tratando dos mínimos detalhes, num ritual meticuloso. Destina seus objetos pessoais, numa espécie de testamento, como também veremos adiante, onde tudo é previsto: a hora deve ser a mais adequada e os movimentos precisos. Na solidão do ato, não falta a certeza de que é o que deve fazer. Assim, o suicídio é o único ato certeiro e, sem endereçamento, quero dizer, não é endereçado a ninguém.

Não é dirigido a ninguém, ainda que, na carta testamento, possam culpar a um outro de seu ato cheio de consequências. Verdadeiramente, o outro a quem atribuem, por ventura, o seu ato, é uma criação daquele que o pratica, outro monstruoso do qual não conseguiram escapar, pois se enredaram na própria ficção. A vida é pura ficção!

Há, claro, especificidades decorrentes da estrutura psíquica de quem o pratica. Quando aquele que o pratica é estruturado por um modo de funcionamento neurótico, onde o Outro, a linguagem, como ficção da verdade se apresenta com características típicas, seguindo as leis do inconsciente, este ato reveste-se de um contorno diverso do que é o Outro, que está na linguagem, mas fora do discurso, ou seja, uma psicose, quando o que o sujeito ouve pode precipitá-lo no ato suicida de forma abrupta.

Aqui estamos tratando de um ato contra o próprio sujeito o qual podemos encontrar, como solução, nas duas estruturas psíquicas que mencionei. As distinções clínicas estruturais não cabem ser explicadas aqui. Não estamos escrevendo um livro teórico, mas um livro para leigos em literaturas teóricas específicas.

O suicídio é um ato em relação ao qual aquele que o pratica não tem como dele usufruir. Mais ainda, é um ato que ganha sua força justamente por não passar pelo Outro (a linguagem), por um dizer que fizesse furo em suas certezas. Trata-se de um ato que parte do sujeito contra ele mesmo. É o sujeito ao encalço de si mesmo. Do extermínio, da liquidação da dor que o aflige para a qual não encontra outra saída.

Na impossibilidade de defrontar-se com algum fracasso ou com o tormento que, para alguns, torna-se o fato de se retalharem, incluindo aí, vozes que o mandam destruir-se, nas situações de luto não cumprido pela morte de pessoas queridas, nas demissões de emprego, na ocasião da aposentadoria, ou seja, situações que mexam em esteios da vida de um sujeito, muitos fazem destas situações fatos propiciadores do ato desesperado que é o suicídio.

Aqueles que por razões contingenciais escaparam a ele, confirmam, sempre, uma destas hipóteses como propiciadoras a este ato e mais, não o repetiriam depois que se desfazem de suas certezas. Sua crença na impossibilidade de fracassar aos olhos de outros e, mesmo aqueles que julgavam ter uma razão real para tal, passam a contestar a realidade de tal razão.

Assim, a verdade da razão é sua própria des-razão. Os delírios da verdade, ao se imporem ao sujeito, o levam por caminhos nada razoáveis quanto às consequências de seus atos.

É fato que a razão pode ser mais problemática que sua ausência. A dúvida faz vacilar e é produtora de soluções criativas. O desencontro é dinâmico e o encontro pode ser de um impacto insuportável.

Certa vez perguntaram ao escritor Moacir Sclyar qual a razão, a seu ver, de haverem tão poucos poetas hoje em dia. Sua resposta foi: "a meu ver, devido ao excessivo uso de antidepressivos". Ou seja, o empenho em obter a felicidade a qualquer preço cedeu à medicalização indiscriminada de nossos dias e, onde se fazia uma poesia ou se pintava uma tela, faz-se hoje um quadro depressivo.

Seguramente os antidepressivos tem sua aplicabilidade, não fosse, como hoje, considerada a depressão um mal de nossa época, por excelência.

O QUE PODERIA APONTAR PARA OUTRA SAÍDA?

Lenita Bentes

Cada sujeito é um. Se algumas pessoas se atiram pela janela em todo o mundo, cada um o faz pelo que lhe concerne, em seu particular. Nenhum suicídio é igual a outro, ainda que se realizem da mesma forma ou pelos mesmos métodos.

Em horas limite, temos o desejo de não mais existir, de estar fora da vida e suas encruzilhadas. Perdemos o sono, a fome, as ideias nos faltam, nos sentimos soterrados.

Entretanto, muitas são as formas de que podemos nos valer para sair do lugar onde não queremos estar. Contudo, lá ficamos. A cabeça produzindo pensamentos incessantemente e ao mesmo tempo inertes. Andamos de um lado para outro, falamos muito e não ouvimos nada ou calamos muito e não ouvimos outra voz que não a nossa a nos martirizar a existência e a re-fundar certezas permanentemente.

Submetidos aos nossos pensamentos, muitas vezes recorremos às drogas lícitas e às ilícitas. Refúgios para aplacar, de forma imediata, a dor de existir.

Quanto às drogas lícitas, podem ser um poderoso coadjuvante a um tratamento das questões que atormentam o sofredor ou um facilitador para o suicídio, como pode se observar quanto ao uso frequente de antidepressivos, especialmente pela população idosa e adolescente.

Freud dizia que, quando alguém se pergunta sobre o sentido da vida, já está doente, porque ao perguntar-se sobre o sentido da vida, não tem mais o sentimento de vida. Quando alguém tem o sentimento de vida, não tem necessidade de perguntar-se sobre o sentido da vida.

No idoso, como na adolescência, é necessário que este sentimento se restabeleça apesar do que muda na sua imagem corporal. Que seja possível restabelecê-la para que a angústia possa escoar. Em ambos, as mudanças corporais muitas vezes são a condição para o ato desesperado, sendo que, no idoso, a finitude é invariável, ente produtora de angústia.

Trabalhando sobre alguns casos de sujeitos que se suicidaram, especialmente entre os escritores que deixaram uma carta mensagem, pude observar que, durante o processo de preparação para este ato, muitas vezes, algo que se interponha entre o sujeito e o ato, os faz reposicionarem-se e mudar de rumo. Uma campainha, um telefonema, uma surpresa, enfim, algo que os faça tropeçar, pode fazer mudar de ideia. Um tropeço pode ser uma saída.

Certa vez escutei um senhor idoso que, por ter falido financeiramente, decidiu suicidar-se de vergonha de sua falência. Esperava o trem na plataforma e, quando correu para atirar-se aos trilhos, sentiu cair algo de seu bolso. Instintivamente segurou o objeto, e estava em sua mão a carteira aberta com o retrato de seu único e primeiro neto. Este fato o impediu de concluir o ato.

Como dizia acima, cada caso é um caso e há que analisar as coordenadas históricas de cada suicídio para compreender a lógica que leva o sujeito a cometer um ato do qual não usufruirá.

A vida não é fácil e nos traz momentos de extremo esforço de invenção para nos mantermos nela, e há minutos que fazem toda a diferença para recobrarmos o desejo e a esperança.

Cada um de nós já viveu momentos de intensa angústia e, de repente, um fato novo, uma notícia inesperada, nos faz recobrar a alegria perdida há minutos atrás, estado que não perdurará. Dizia Freud, "... a intenção de que o homem seja feliz não está incluída nos planos da criação."[1]

Vivemos na corda bamba da existência quase todo o tempo. Como disse Clarice Lispector, numa entrevista, que deveríamos ter muito cuidado quando se toca no defeito de uma pessoa pois, muitas vezes, é em torno dele que ela organiza a sua vida. Esta luminosa afirmação pode indicar que não é tudo que se pode dizer a alguém, já que as verdades são sempre particulares e os motivos, sempre singulares. Há que levar em conta o possível, a humanidade de cada um.

Como sujeitos falantes, ouvimos e dizemos coisas que fazem marcas profundas em nós e que, da mesma forma, podem

---

1 Freud, S. O mal-estar na civilização, vol. XXI, in: Obras psicológicas completas. Rio de Janeiro: Imago, 1980, p.95.

marcar outros. O poder das palavras é sem limites. Mesmo em silêncio, nós a habitamos, e isso não é sem consequências. No silêncio também estão as palavras. Somos feitos de palavras.

São as escolhas e as palavras em torno do que organizamos nossas vidas. São elas que poderão nos permitir persistir na existência ou não. A única saída para a vida é a própria vida. Aquilo em torno do que nos organizamos, porta uma marca singular, que gira em torno de um vazio que diz muito de nós a nós mesmos.

A saída não é lançar-se fora dos muros da vida, mas lançar-se para além deles, o que não quer dizer fazer coisas grandiosas, mas coisas que nos tragam a grandeza de um prazer sem nome, não sem limites, sem nome. Um prazer que nos compromete como sujeitos diante das escolhas que fazemos. Somos sempre, queiramos ou não, responsáveis por nossos atos e por nossas escolhas. Os romances, as ficções literárias, enfim, os escritores, seja de que gênero for, nos ensinam sobre isto.

Certa vez, me perguntei, então, "por que tantos escritores, aqueles que têm um uso da palavra e da linguagem tão hábil, se suicidavam?" – desta questão fui tirando conclusões que estão em um capítulo mais à frente.

Conclusões que a mim mesma surpreenderam, felizmente, muitíssimo. O ato da escrita envolve grande complexidade, não é qualquer ato, não é pôr letras no papel mas, antes de tudo, pôr-se, despir-se, dialogar consigo mesmo, ainda que não pareça, é um enorme risco. Escrever é uma loucura.

INSTINTO DE SOBREVIVÊNCIA

Antonio Carlos Gaio

Meu irmão Luiz Jorge Gaio suicidou-se ingerindo veneno fulminante em 1965.

Em 2001, meu amigo Sidney Ribeiro seccionou sua jugular com uma tesoura, depois de perder a paciência quando cortou o pulso e nada acontecer, embora se esvaindo em sangue.

Ambos pesquisaram, estudaram e foram aos detalhes para obterem sucesso em pôr um fim em suas vidas. No entanto, depois de consumado o ato, ambos tiveram a mesma reação diante da irreversibilidade do passo dado.

Luiz Jorge encontrava-se num anexo no fundo de sua casa. Com o veneno fazendo efeito, incontinenti saiu do recinto e dirigiu-se ao quintal da casa, procurando ar livre – era uma noite bonita. Ia em direção ao portão de saída da casa, mas o quarto em que nossa mãe dormia estava mais próximo. Não chegou a cruzar o jardim, vindo a desabar seu pesado corpo na parte cimentada com um sonoro estrondo que despertou a família, às três da madrugada.

Por sua vez, Sidney, em seguida a se autodegolar, engatinhou buscando a porta de seu apartamento para encontrar uma saída. Uma trilha de sangue desenhou sua trajetória.

Um sinal claro em ambos de querer preservar a vida. O instinto de sobrevivência. Como fazemos para evitar nos afogarmos ao sermos tragados por um mar revolto ou pelo rodamoinho de um rio. Muito mais forte do que o desejo articulado para tirar a vida – aparentemente incoerente ou contraditório com a decisão extrema. O impulso mais pungente para continuar a respirar, a, enfim, prosseguir vivendo. Mais forte do que se livrar do inferno em que se tornaram suas vidas. A ratificar que não é natural suprimir nossa existência, erradicarmo-nos de nosso espaço, por mais hostil que nos pareça – se não conseguimos nos encaixar na realidade que se apresenta para nós ou se caímos num berço no qual não nos amoldamos. Muito embora até possa ser um direito baseado em nosso livre-arbítrio ao nos recusarmos a viver pautados por essa hegemonia de forças que tornam a felicidade tão difícil de ser alcançada.

Mas se o suicida resolve partir, por que existe uma força igual e contrária que impede que sua despedida seja como se estivesse sendo ejetado dessa galáxia? Como é de seu desejo, subitamente desaparecendo.

Porque não conseguem antever o que irão sofrer no desenlace do suicídio. Imaginar o grau de desespero que virá tomar conta de sua alma. Alma essa rigorosamente sozinha a partir da decisão assumida e, no entanto, instintivamente, movendo-se para pedir socorro. A desmaterialização avança à medida que o corpo vai ficando inerte e sua energia apagando – a vida indo embora.

Arrependimento? Não há tempo hábil se o suicida desfalece velozmente, atacado pelo castigo que se impôs. Ele quer, na verdade, é ajuda. Para morrer ou para viver? O suicida não precisa de ajuda para estrangular sua existência: a decisão é soberana e o ato, solitário. Na medida em que, atordoado, confuso e perdido, procura "onde está a saída?", dar alguns passos adiante significa tentar escapar à agonia que o consome, que não pode ser o caminho mais rápido para morrer, e sim para viver – de princípio, sobreviver.

Por que o suicídio é cercado de tormentos, angústias e sombras? Seria por afrontar a Morte, posto que é ela quem manda ao se apresentar para nos levar daqui quando bem entender ou for necessário, atendendo a desígnios que desconhecemos? Mas não faz sentido, se a morte desperta as mesmas más sensações em quem não deseja partir. Ou são de ordem diferente? Um impasse aparentemente contraditório.

Os que não aceitam ir para o outro mundo ou, se ateu, deparar-se com o Nada, dissolvido em cinzas, igualmente se desesperam quando a medicina não encontra alternativas para curá-los, salvá-los e impedir que a morte se aposse de sua alma e a retire de nosso convívio. Rebelam-se contra a morte arrastá-los para o desconhecido, ao contrário do suicida, que pratica um crime contra si próprio por não suportar essa vida miserável.

Todavia, se os suicidas pudessem reverter o quadro crônico de pessimismo e desesperança que usurpou seu juízo a respeito de como se conduzir perante os desafios que se nos apresentam, bem que gostariam de continuar a viver. Melhor ainda seria poder ingressar em um mundo que não fosse esse! Mas isso seria o mesmo que acreditar em felicidade acima de todas as coisas! Quando a sensação é a de estar engessado nesse mundo, onde a visão pouco alcança e reproduz o peixe que é engolido com facilidade por outros mais graúdos: o lambari, que também serve de isca. O suicídio em vida.

O RITUAL SUICIDA

Lenita Bentes

A cultura tem seus rituais. Modos de tornar suportável, o maior horror do homem: a morte. Enquanto vivo, a cultura insere o homem nas religiões como maneira de dar dignidade ao que um dia existiu. Afinal, o homem não pode acabar como os demais seres vivos se ele é, segundo as religiões, a maior obra divina. O último a ser criado para servir-se da natureza. Além do mais, feito à imagem e semelhança do Criador.

O homem, a magnífica obra do Criador, deve dar dignidade ao ato que porá fim a esta obra. Então, o homem o ritualiza.

Contudo, o ritual não serve apenas para dar dignidade ao ato suicida, mas também para organizá-lo para que não seja falho. Para que seja certeiro!

O psicanalista francês, Jacques Lacan, diz que o ato suicídio é o único ato certeiro. Um ato que não deixa outro resto, que o próprio sujeito.

Sigmund Freud falou de duas forças poderosas em ação dentro de nós: a pulsão de vida e a pulsão de morte. Forças sempre entrelaçadas que nos habitam. Há uma luta permanente entre ambas. Para criar ou para adoecer nós as temos à disposição. Normalmente, a pulsão de vida vence a batalha, mas um dia a perderemos. Até lá, cabe-nos lutar, resistir.

Esse entrelaçamento pulsional aparece, por vezes, muito claramente. Outras vezes, é tão sutil que não nos apercebemos em nós, nem em outros, que uma luta feroz está sendo travada.

As religiões permitem a muitos uma mediação nesta luta, para outros ela só esmorece a partir de um tratamento médico e, ou, psicológico. É diante da adversidade que teremos que encontrar as saídas necessárias, mas nunca suficientes, para prosseguir.

Muitas são as vezes que teremos de recomeçar. Para tal, curiosamente, precisamos desritualizar a vida. Buscar saídas pelas vias do desejo e não da obrigação. O trabalho de desritualização exige esforço constante e criação, senão permanente, ao menos durável.

Ainda quanto aos rituais, os vivos necessitam dele para fazer o que chamamos trabalho de luto. É necessário podermos incluir as perdas, por dolorosas que sejam, no processo da vida, pois, ao não incluí-las, nos perdemos de nós mesmos e, não raro, nos confundimos com o objeto perdido.

Desde as tribos primitivas que o ritual serve para ajudar o morto a encontrar o seu caminho. Diria eu, encaminhá-lo dentro de nós, para o caminho das demais perdas.

Se falamos de cultura, das diferentes épocas em que o suicídio foi abordado de diferentes maneiras, então, devemos incluir aí o mito. O mito de Sísifo é considerado um dos antecedentes para se pensar a diferença entre a morte voluntária e a involuntária. Minha intenção é acompanhar com Octave Mirbeau, Charles Baudelaire e Albert Camus a discussão sobre a ética que rege a morte voluntária, até chegar às diversas abordagens com as quais nos defrontamos durante vários séculos quando se trata de falar sobre o suicídio: a mitológica, a jurídica, a médica e, mais recentemente, a psicanalítica.

Comecemos pela narrativa do personagem Sísifo e do mito que levou seu nome. Junito de Souza Brandão, no terceiro volume de sua coleção sobre a *Mitologia Grega* [2], descreve Sísifo – o primeiro rei de Corinto, cidade da qual se apossou pela violência – como dotado de grande astúcia e que, por isso mesmo, por duas vezes "conseguiu ludibriar a própria Morte (*Thánatos*)"[3]. No entanto, Ruth Guimarães, em seu *Dicionário de Mitologia Grega*, descreve o mito de Sísifo.

> O mais astucioso de todos os mortais era filho de Éolo. Foi fundador de Corinto, então chamada Éfira. Certa vez em que Autólico lhe roubara os rebanhos, Sísifo foi procurá-lo. Conseguiu seguir o rastro dos animais por ter gravado seu nome no casco de cada um deles. Chegou à região na véspera do casamento de Anticléia, filha de Autólico, que se unira a Laerte.

---

2 BRANDÃO, J. S. *Mitologia Grega*. Vol.III. Petrópolis: Ed. Vozes, 2002, p.62-63.

3 Ibidem, p. 63.

Durante a noite, introduziu-se no quarto da noiva, que concebeu dele um filho: Ulisses. Quando Zeus raptou Egina, filha de Ásofo, foi visto por Sísifo que, em troca de uma fonte concebida pelo deus-rio, lhe contou que o raptor da filha fora Zeus. Ásofo se insurgiu contra o pai dos deuses, mas foi constrangido a voltar para o leito. Uma versão da lenda de Sísifo conta que ele foi imediatamente fulminado por Zeus. Outra versão narra que Zeus lhe enviou Tânatos, a Morte. Sísifo enleou-a com tal astúcia que conseguiu encadeá-la. Durante algum tempo não morreu mais ninguém. A uma queixa de Hades, cujo reino sombrio estava se despovoando, Zeus interveio e libertou a Morte. A primeira vítima foi naturalmente Sísifo. Este, antes de morrer, pediu à mulher que não lhe prestasse as honras fúnebres, e ela assim o fez. Chegando aos infernos e despojado de seu revestimento habitual, isto é, o corpo, Hades lhe perguntou por que isso acontecia. Sísifo se queixou amargamente da impiedade da mulher e, à força de súplicas, conseguiu consentimento para voltar a sua terra a fim de castigar a mulher. Uma vez em sua terra, Sísifo não se preocupou com a volta e viveu até avançada idade. Mas, quando

> morreu afinal, os deuses dos infernos o castigaram, condenando-o a rolar até uma alta montanha um enorme bloco de pedra que, mal chegado ao cume, rolava para baixo, puxado por seu próprio peso. Sísifo recomeça a tarefa e é, e será assim, por toda a eternidade[4].

Cito o mito de Sísifo para referenciar dois importantes escritores – Albert Camus e Octave Mirbeau –, que partem desse mito e trazem contribuições valiosas sobre o ato suicida. Tomo como referência o excelente texto de Pierre Michel, professor da Universidade de Angers. Por exemplo, ele recorda as palavras de Camus, que utiliza o mito a título de provocação aos filósofos: "só há um problema filosófico verdadeiramente sério: é o suicídio. Julgar que a vida vale ou não vale a pena de ser vivida, é responder à questão fundamental da filosofia"[5]. Nessa mesma direção, Michel assinala que Mirbeau consagrou ao suicídio duas de suas crônicas buscando abordar a questão da morte voluntária. Ambos – Mirbeau e Camus – são ateus, materialistas e eticamente exigentes. Embora com dois séculos de distância um do outro, encarnam a figura do intelectual engajado[6]. Eles não creem em nenhuma divindade, transcendência ou harmonia pré-estabelecida por um poder

---

4 GUIMARÃES, R. *Dicionário de Mitologia Grega.* São Paulo: Cultrix, 1999, p.278.

5 CAMUS, A. *O mito de Sísifo (Ensaio sobre o absurdo).* Rio de Janeiro: Ed. Guanabara

6 Ibidem

superior. O universo não tem razão ou finalidade, as coisas não têm razão de ser, e a vida é sem finalidade: "é loucura querer encontrar a razão das coisas"[7].

Da mesma forma, Pierre Michel indica que Camus, na primeira parte do *Mito de Sísifo*, desenvolve a crítica às ilusões racionalistas, pois afirma que o homem está cercado por "*muros absurdos*", que ele vive num "universo '*irracional*', '*indecifrável e limitado*', o qual se choca com seu '*desejo perturbado de clareza*': e é precisamente deste confronto que nasce o que ele chama de '*sentimento de absurdo*'[8]. Mais adiante Michel refere-se a Camus quando menciona a atroz condição humana que só pode ser fonte de revolta para o autor. "É o que Camus chama a '*revolta metafísica*', definida como '*o movimento pelo qual um homem se lança contra sua condição e a criação*', revolta comparável àquela do escravo na medida em que ela é também a afirmação de '*um princípio de justiça*' em oposição ao '*princípio de injustiça*' que está '*em obra no mundo*'. É nesta condição que a morte aparece como um remédio, como o fim do sofrimento. Não deve então o homem revoltado ver na morte voluntária a afirmação de sua liberdade?[9]

Apesar de Albert Camus e Octave Mirbeau terem vislumbrado essa perspectiva, nenhum dos dois escolheu essa via mortífera. Para eles, a morte como liberação não se revela

---

7 MICHEL, P. "Mirbeau, Camus et la mort volontaire". Consultado em: 10 de abril de 2009. Disponível em: www.univ-ubs.fr/publi/documents/mort.pdf

8 Ibidem

9 Ibidem

como um mal, sendo uma maneira de, em caso de sofrimento, retornar ao seio da natureza. Longe de um juízo condenatório moralista religioso, Mirbeau vê no suicídio um ato racional, que resulta tanto da tomada de consciência filosófica cheia de sabedoria, como da influência desastrosa de uma civilização moribunda e mortífera. A sabedoria vem da aceitação lúcida de um destino e da renúncia aos falsos bens do mundo. A morte é a verdadeira liberdade e paz definitiva. O que Mirabeau critica é o culto ao prazer mortífero do qual fala Baudelaire em *Os Paraísos Artificiais*:

> (...) considerando apenas a volúpia imediata, sem se preocupar com a violação das leis de sua constituição, procurou na ciência física, na farmácia, nos mais grosseiros licores, nos perfumes mais sutis, em todos os climas e em todos os tempos, a forma, mesmo apenas por algumas horas, de voltar ao seu habitáculo de lodo e de lodo, como diz o autor de Lázaro, e arrebatar o paraíso num só gesto.[10]

Para Mirbeau, segundo Pierre Michel,

> (...) "o suicídio é profundamente ambíguo. Para alguns, vencidos pela vida, ele é o sintoma de uma inadequação ao mundo, de uma incapacidade de pensar por

10 BAUDELAIRE, C. *Os paraísos artificiais*. Lisboa: Estampa, 1971, p. 13.

> si mesmo e de resistir à 'educastração' programada". Como escreverá Camus, é confessar que somos ultrapassados pela vida ou que não a compreendemos.[11]

Nesse diálogo inter autores que Pierre Michel inclui em seu texto, depreendemos que tanto Mirbeau quanto Camus não fazem uma apologia do suicídio. Mas confirmam que o próprio suicida reconhece o caráter derrisório da ausência de vontade de viver e a insensatez que representa a agitação cotidiana e, portanto, a inutilidade do sofrimento. Além disso, Pierre Michel[12] indica que Mirbeau, em seu artigo sobre *Le suicide* (1885), enfatiza "uma filosofia da renúncia", porque compreende que a vida é má e que é melhor reconhecê-lo do que lutar para gozar. Neste sentido, o suicídio seria uma vitória, a afirmação da liberdade suprema do ser, pois a renúncia à vida é uma saída filosófica para pôr-se ao abrigo dos golpes da sorte.

Na opinião de Pierre Michel, tanto o Camus de *O mito de Sísifo (Ensaio sobre o absurdo)*, quanto em *O Estrangeiro*, opõe o suicida que escolhe renunciar à vida, ao condenado à morte, aquele que a enfrenta estoicamente, "sem esperança", obrigado que está a se preparar para seu destino cruel. É por afrontar o escândalo da morte que o condenado merece respeito. Se este se torna figura emblemática da condição humana é porque

---

11 MICHEL, P. "Mirbeau, Camus et la mort volontaire". Consultado em: 10 de abril de 2009. Disponível em: www.univ-ubs.fr/publi/documents/mort.pdf

12 Ibidem

todos os homens estão igualmente condenados a ela, sendo inocentes ou culpados. Assim sendo, a forma suprema da revolta é zombar da morte lançando-se fora da norma. Neste ato, o criminoso e a vítima coincidem, não há imputabilidade possível.

Enfim, o ato suicida toma suas coordenadas da linguagem da qual resultamos como sujeito por ela vivificado, mas também por ela mortificado. Neste livro, tomo como referência a morte voluntária como efeito da relação da escrita com a fala e a linguagem. Por isso, abordo o que se pode extrair do saber jurídico, sem, no entanto, deixar de citar Lacan. Se o Direito fala do gozo – tal como ele ensinou em *O seminário, livro 20: mais ainda*[13], será que o saber jurídico não deixa velado o que, de fato, significa a essência do ato suicida? Merece aqui uma preciosa indicação:

> O que é o gozo? Aqui ele se reduz a ser apenas uma instância negativa. O gozo é aquilo que não serve para nada.
>
> Aí eu aponto a reserva que implica o campo do direito-ao-gozo. O direito não é o dever. Nada força ninguém a gozar, senão o supereu. O supereu é o imperativo do gozo – *Goza!* [14]

---

13 LACAN, J. (1972-73). *O seminário, livro 20: mais ainda*. Rio de Janeiro: Jorge Zahar Ed., 1982, p. 10-11.

14 Ibidem, p. 11.

RAROS SÃO OS QUE ANUNCIAM E DISCUTEM COM ANTECEDÊNCIA O SEU PRÓPRIO SUICÍDIO

Antonio Carlos Gaio

Raros são os que anunciam e debatem com antecedência o suicídio, conforme meu irmão Luiz Jorge fez no período de 1964 a 1965. Tamanha a convulsão que se apodera do estado de espírito do suicida, que o impede de discutir a relação com a morte e abrir seu coração para se retirar da vida.

Luiz Jorge era introvertido e humilde ao extremo, devido à educação rígida e autoritária recebida. Poder-se-ia dizer que se circunscrevia à sua solidão. Desde os seus onze anos, uma nuvem de inquietação pairava sobre sua cabeça. É quando inicia a tecer uma ferocidade típica da revolta, mas que não aflorou. Nada de excessos, comedimento na palavra de ordem do pai, através de sua mãe que procurava filtrar os padrões severos, obrigando Luiz Jorge a se socorrer nos devaneios. De tanto pensar, acabou por atropelar a si próprio. Uma sensação de que nunca conseguiria se aproximar das mulheres começa a lhe invadir; não gosta de correr riscos e prefere ficar à sombra.

Tem horror a perder a noção do ridículo, prefere sofrer em silêncio, mas não dispensa ajuda. Desde que não se queira desfazer suas conclusões a respeito de viver em sociedade sendo oportunista, cínico, aproveitador, dar tapinha nas costas. Um dos grandes motivos de aborrecimento para Luiz Jorge foram os domingos dançantes que seu pai insistia em promover, invejando a excitação do pai para dançar e ciúme da atenção que as mulheres dispensavam a ele. O que mais o irritava era a desenvoltura com que ele bailava, quando não conseguia esconder o sorriso, cada vez mais raro no dia a dia em família. Exibindo-se pelos quatro cantos do salão, como em nenhum outro recanto, simplesmente porque a dama o correspondia e o acompanhava movida pela mesma felicidade e encanto. Enquanto Luiz Jorge se perdia em olhar triste e longínquo. Sente ódio de si porque não enfrenta o pai. Não sabe fazer valer suas razões e ideias, condoendo-se com a situação da mãe, calada, à testa da preparação dos comes e bebes, enfurnada na cozinha, enquanto seu pai se divertia – o que só aumenta a covardia de Luiz Jorge.

Coloca na conta do pai sua incapacidade de encarar a vida e seus problemas. Como ter um pai e não poder abraçá-lo? Luiz Jorge se mostra inconformado com o habitual silêncio do pai. Inacessível e seco. Uma figura que intimidava. Contudo, jamais abriu seu coração em legítima defesa. Como é que Luiz Jorge iria descobrir que seu pai precisava encobrir as emoções sempre que necessário, para se proteger de algum pesadelo no passado, ainda não devidamente sepultado?

Não dava mais para procurar o colo da mãe, outros abraços o esperavam, havia que aprender a beijar, enveredar por relações criativas com o mundo, suportar frustrações; ciúme e inveja fazem parte da vida, principalmente o fracasso. O fato de se sentir humilhado ao não ser considerado bom o bastante, o fez se sentir pior. O que o deixa enfurecido. Mas ele reprime – não convém abrir uma lista de desafetos. De forma alguma quer ficar no lugar de perturbado, em situações de dificuldade que a maioria das pessoas supera, mas ele, pode ser que não.

A visão de amor da mãe implicava tanto drama passional, tanta perfeição e união espiritual, que nenhum relacionamento conseguiria satisfazer totalmente sua necessidade. Sendo idealista, era sempre movida pela carência de ir atrás de suas fantasias românticas. Daí para não admitir fatos que não se sucedem como gostaria, um pulo. Possuía um talento especial para enxergar hipocrisia através de posturas. Porém, há que continuar com o homem que ama até ser desiludida por ele por completo. Orgulhava-se de ser uma parceira estimulante e divertida, com um entusiasmo do tamanho de um parque de diversões. Lembrar-lhe de que tem de crescer, optar entre ou bem se olha o chão onde pisa ou se mantém os olhos fixos no horizonte, era a melhor maneira de afastá-la de si própria.

Nas vésperas de Natal, Luiz Jorge e sua mãe não viam a hora passar. A comer castanhas na varanda até a noite alcançá-los e esconder o jardim. Conversas intermináveis que não se perdiam no breu. Têm tantas coisas em comum. Ao lado do filho, a felicidade a invadia e resgatava um entusiasmo que julgava perdido. Ela achava de uma meiguice sem par Luiz Jorge espalhar bilhetinhos pelos quatro cantos da casa para amenizar um pouco a sua insatisfação. Ao impenetrável pai, contrapõe-se a candura do filho. A sua simplicidade cristalina é um presente caído do céu que a ajuda a suportar as incompreensões, suspira a mãe:

– Ninguém consegue avaliar o tesouro de afeto que existe entre nós. Tenho receio de que sua pureza entrará em choque com este mundo hostil, que simplesmente tritura a infância e juventude – o melhor período da vida –, a pretexto de nos tornar maduros.

No entanto, Luiz Jorge se sente inadequado ao que se espera dele. Como agradar aos outros – uma preocupação predominante –, se não consegue se sentir à vontade com ele mesmo? Persistência como, se não consegue ter certeza de nada? Causa-lhe angústia o encargo de ter que tomar seu rumo. Como filho mais velho, se acha na obrigação de compensar a falta de atenção por parte do pai em relação à mãe. Uma cobrança interna de amenizar as dores de sua mãe. De ocupar o lugar do pai, mas não se sentindo capaz nem de ser ele mesmo.

O sofrimento ganha a dimensão de um beco sem saída. Percebe que a medida do humano é a tragédia. Seria obrigado a simular uma realidade, avesso a tudo a que já enxergou até esse momento – uma matéria de muita dor. Tem medo de desenvolver um mal que intrinsecamente existe em todos nós. Em maior ou menor grau, o suicídio já passou ou passa pela cabeça de todo mundo.

Luiz Jorge anuncia o suicídio para a mãe. Ela perde as estribeiras e afirma que o que ele deseja, de verdade, é matar o pai. "Não, a última coisa que desejo é me enfiarem numa camisa de força e me internarem no hospício." "Por que escondeu essa angústia de mim, então?". "A senhora não teria estrutura para discutir se eu deveria me jogar do Pão de Açúcar."

Meu irmão escolhera a carreira de químico, mas achava-se incapaz de se afirmar como tal e de se fazer respeitar como seu avô e seu pai. Nutria uma insegurança do primeiro dia de uma criança na escola quando a mãe deixa o filho aos cuidados das professoras. Como não era de fazer alarde, não se fazia notado. E o que aprendeu, ocultava como um caramujo para que não perscrutassem o seu grau de entendimento – não só a respeito de química. Temia chegarem aos derivados, à física, psicologia, e interpretarem seus símbolos e elementos. Não aguentaria tamanha exposição. Vai que descobrem sua paranoia. A sensação é a de que todos lhe viraram as costas. Finalmente se transformara naquilo que sempre pressentira na infância: um estranho nesse planeta.

Não se via em condições de exercer o papel de marido e provedor que a sociedade dos anos sessenta exigia dos homens para gozar dos privilégios e poder que tinham sobre as mulheres. Queria que o aceitassem tal como era, não gostaria de ficar sujeito à cobrança delas, senão se apequenaria. Para se relacionar, teria que ser com alguém que não fosse estranha ao seu meio – de preferência, da família.

Luiz Jorge já discutia se o suicídio é um ato de coragem ou covardia com seu melhor amigo, há mais de um ano, que fazia as vezes de ouvidor e percorria os escaninhos da vida para bem alojá-lo.

Deprimido, o suicida costuma comunicar sua desesperança, embora as pessoas próximas tenham dificuldade em captar a seriedade do propósito, tentando minimizar – ah, isso passa! Ou então, quando levam a sério, se sentem impotentes e só lhes resta a compaixão pelo espírito perturbado e sofredor.

Foi quando lançou um olhar melancólico no suicídio como a solução para seu problema existencial. Perguntou-se entre os dentes se a moral que condena não é uma moral de convenção. A moral que elege o ato como de covardia é a que glorifica o forte e estoico, a que não sucumbe aos males reais nem fictícios. O suicida não consegue distinguir se há coragem no ato – o que ele deseja é se livrar do maligno, da metástase que corroeu seus sonhos.

Luiz Jorge entendeu que o suicídio se manifestava como uma afirmação de seu livre-arbítrio, quando se compenetrou que o que mais detestava eram os prazeres – por incapacidade de desfrutá-los – e não os males da vida. Desejava que existisse vontade para vencer os obstáculos, mas a conjuntura o empurrava para renunciar à vida, destruindo seu corpo. Que grande dor assumir o controle de sua vida e sentenciá-lo à morte!

Não tem mais forças para resistir ao cerco sufocante, precisa apressar o passo, a agonia o consome. Possuído por uma revolta insuportável, elege o pai como o responsável por esse ato de desespero, como se ele estivesse tirando sua vida, pelo qual terá de pagar. Mata-se para agredi-lo e ele se sentir culpado, com remorso, por não ter suprido as carências do filho ou por havê-lo injustiçado. Como se pudesse, depois de morto, ver e se satisfazer com o sofrimento de seu algoz, equiparado a um deus inatingível, sem sangue nas veias e sem coração.

Já passou da hora, todos foram dormir, exceto Luiz Jorge, que se prepara para a mais longa das noites. Havia decidido por uma morte que não chamasse a atenção. O cianeto de potássio era a saída para um suicídio rápido. Reage com a acidez do estômago e gera gás cianídrico. Asfixia em menos de um minuto, precedida pela perda da consciência. Luiz Jorge adiciona o cianeto à água destilada. Apenas um grama, mais que isso queimaria a garganta. Espera cinco minutos pela reação química.

Antes que o veneno começasse a fazer efeito, corre apavorado em direção ao jardim. O instinto de sobrevivência o leva a buscar uma saída. Tarde demais para recuar. Não se brinca com a morte, ela prontamente atende ao seu chamado.

Uma carta de Luiz Jorge repousa sobre a cômoda com o desabafo:

"Este é um mundo egoísta. Para continuar a viver teria que me tornar insensível. Ninguém conseguiria preencher este vácuo dentro do meu coração. Seria obrigado a lidar com pessoas tão indiferentes a tudo que acredito que a melhor solução foi essa. Não sofrem porque não gostam de ninguém, só pensam em si. Amam só uma pessoa: eles mesmos. Todos me decepcionaram. Sinto que teria de viver asfixiado, nada falando para que a vida prosseguisse com as coisas nos seus devidos lugares. Detesto hipocrisia, isso me desespera. Por que me dou ao trabalho de julgar as pessoas, se já sei perfeitamente o que vão acabar fazendo?"

A família especulou sobre o suicídio sem nunca ter se aproximado da causa real, que eu conhecia através das palavras de meu próprio irmão, mas que não fazia sentido para os parentes, por soar absurda. Foi a senha para terem aventado inúmeras versões conformistas que procuraram contornar o suicídio, a partir de razões simplistas em torno da infelicidade em prosseguir vivendo. Ou arrolar o que poderia ter sido feito para evitar o suicídio. Quando não coobrigando familiares e amigos a repassar mentiras do gênero "Luiz Jorge morreu do coração", para encobrir a tragédia e dissimular o constrangimento com que o suicídio usualmente cobre de vergonha a família e abala as convicções dos mais próximos.

Sem contar o baque numa família espírita, pelo lado paterno, se levado em conta que um dos objetivos do espiritismo é levantar o ânimo dos vencidos na luta pela vida, a fim de impedir que sobrevenha a ideia maligna do suicídio em sequência a fracassos. Vindo a resvalar no passado filantropo e generoso de nosso avô, que dedicara toda sua existência ao espiritismo e a pensar e agir em favor do próximo, atendendo pobres na linha da miséria, desde 1932, quando criou a Fundação Marietta Gaio (nome de minha avó), até vir a falecer em 1954.

PRECIPITAÇÃO: HOMICÍDIO OU SUICÍDIO?

Antonio Carlos Gaio

Minha irmã, Regina Maria Gaio, era uma mulher exuberante, extremamente comunicativa, cheia de vida e plena de energia, que nascera absolutamente transparente. Nem que quisesse, saberia esconder seus sentimentos. Enquanto não os externasse de forma completa, não se tranquilizava. Impetuosa e impulsiva, jurava que nenhum homem iria abandoná-la, como o seu pai à sua mãe.

Não era uma mulher de cruzar os braços e tomou a frente de suas escolhas. Não suportava a solidão, pois não queria acabar seus dias sozinha como sua mãe. Contudo, abominava casar e virar empregada do marido ou ser do lar ou especialista em prendas domésticas. Regina simplesmente não precisava de leme para guiá-la e orgulhava-se de nunca ficar sem rumo na vida. Não queria um homem sem a menor aptidão para a vida em comum e tampouco que a encerrasse numa gaiola. Entretanto não bastaria o homem se interessar; teria que ficar de quatro por ela. Uma quedinha não serviria; tinha que ser uma baita fixação.

Regina era uma mulher de coragem que poria os homens no seu devido lugar. Para não ficar à mercê de arrebatamentos pueris, viagens delirantes, fascínio por galãs de meia-tigela, preferiu estabelecer relações que pudesse controlar. E beleza não põe mesa. A utopia de Regina era encontrar um homem que procurasse conhecê-la bem e mapeasse seus piores defeitos, não se perturbando com o achado.

Era uma mulher de sangue quente, gritando para quem quisesse ouvir: "eu quero viver!". Intensamente. Regina provocava admiração ao se dirigir a quem quer que fosse. Falta de jeito ou timidez não se encaixavam numa personalidade tão efusiva. Uma mulher que não se comunicava por entrelinhas, fazia questão de mostrar o avesso de seu temperamento e não tinha papas na língua. Não deixava para amanhã o que podia dizer hoje.

Regina, rainha, queria reinar sobre sua vida.

Quando se fala de Regina em matéria de construir uma relação de amor, fala-se menos de como vieram a se gostar e mais de como começaram a se separar. Com extrema facilidade para engatar relacionamentos em proporção equivalente a se desgastar e se afastar do objeto de interesse. Dotada do elã vital para iniciar uma relação absolutamente inviável, de antemão sabido, para apenas provar a si mesma que seria capaz de reverter o absurdo, na contrapartida de ele garantir ser todo ouvidos e cheio de atenção para com ela. Despreocupada e segura de si, pouco se lhe dá se faltam maior reflexão e sutileza em suas intervenções.

Não foi absurdo, portanto, Regina permitir que entrasse em sua vida um homem intolerante, rabugento, mesquinho, mal-encarado, que ganharia fácil o papel de vilão numa seleção de atores. Com um ar frio, distante e arrogante, se lhe pusessem óculos escuros pareceria um general da ditadura, tamanho seu notório autoritarismo. A fisionomia de precoce decomposição já veio de berço. Não suportava insolência nem que procurassem fazê-lo crer que era medíocre. Sempre subestimou a Regina capaz de ir atrás de seu destino – a não ser que passasse por cima de seu cadáver. Possuía arma em casa e se exercitava em clube de tiro: esse ela não poderia mandar embora como fez com os outros! Todavia, ele não queria matar o fogo todo de Regina e sim evitar que o espírito liberto de Regina escapasse de suas mãos. Apesar de ser o mesmo homem que atendia a todos os seus caprichos, valorizasse as coisas que falava e sentia, sempre disponível para ouvi-la, não abrindo mão de levá-la ou apanhá-la seja onde for, fazendo questão de almoçar com ela diariamente.

Regina começa a se sentir sufocada com a possessividade, deixando-a impaciente no afã de respirar ares mais livres. A mesma Regina que, quando fechava com um homem, tinha os dois pés dentro de casa, também era a primeira a comunicar quando rompia. Cansou-se de só amar a quem a amava em triplo. De partilhar sua intimidade com criaturas que a amaram muito, além de suas limitações, antes, durante e depois dos relacionamentos, às quais se acomodou com a garantia de não ser largada à deriva, tornando-se passiva justamente por não haver necessidade de lutar por esse amor.

Regina explode em mil pedacinhos o modelo de vida em que se amparou e se defendeu de incertezas que não têm dia marcado para te apunhalar pelas costas. Ela não podia mais ficar na superfície. Havia que aprofundar e não apenas conversar trocando uma palavra pela outra, sem nada a acrescentar. Urgia mergulhar na sua *persona* e buscar sua verdadeira personalidade. Sonhava com sua emancipação emocional. Encarar-se, face a face com suas dificuldades, questões, falhas, indecisões, descontroles, e inteirar-se de tudo que Regina é. Conquistar autonomia é trabalhoso.

Regina, a rainha, não quer mais reinar sobre a vontade dos homens. Não os queria mais súditos de sua audácia, servis ao seu encanto. Com que propósito então, se deter numa posição resguardada, de olho em quem pode entrar ou não em seu castelo? Nos seus domínios.

Ficar atada a uma situação sem saída não é o forte de Regina. Ela cai em contradição e se enjoa de tantas atenções para com ele e sua família. Levando-o ao desatino. Ao desejo frustrado. Ao ciúme enlouquecido que dispara o ciúme agressivo. Acionado pelo que interpretou como rejeição de Regina, cobrindo-o de humilhação. Humilhado como macho que acredita piamente na ascendência sobre a fêmea e que não admite ser abandonado, anteviu momentos amargos que passaria quando todos soubessem que ela o havia mandado plantar batatas.

Regina não sabia com que vulcão havia mexido. Brincava com a vida em voo cego e não previa as consequências: esse tipo de homem não iria deixar barato o papel ridículo desempenhado pelos que o antecederam – o amor deles era tanto que suportava o peso do abandono.

Cabe explicar que Regina não abandona ninguém com a intenção de humilhar. É reflexo apenas de sua inquietude e inconformismo por não conseguir amar fora do contexto legado por seu pai e sua mãe. Vem de dentro uma insanável pressão estúpida que avança disposta a consumi-la. Há que correr, portanto. Fugir da correnteza antes que a trague. Há que se precipitar.

Por sua vez, ele, que se embasbacara com a extrema mobilidade de Regina e sua rara agilidade para se adaptar a novas situações, não consegue atinar por que razão ela, repentinamente, pretende cair fora sem mais nem menos. Pareceu-lhe consistente e durável a disposição com que ela entrou em sua vida e mostrou-se interessada por tudo a seu respeito, até fazendo reparos em sua conduta de homem estourado. Portador da síndrome de rejeição, ele sonhava com um compromisso estável. Provocando sua indignação:

– Ninguém muda assim com tanta facilidade!

Acontece que o coração de Regina esfriara e esvaziara o sonho do ninho de amor. Se ainda pudesse fingir, ah, se pudesse! Ela julgava ter pleno domínio sobre o amor. No entanto, encerrado o seu longo ciclo de lagarta se metamorfosear em borboleta, chegou à conclusão de que pouco sabe a respeito do que é amar. Pior, nunca amara deveras. Enquanto no mundo todo isso acontece a três por dois. Motivo para Regina chorar e sofrer.

Já decidida por separar-se e marcada a mudança para daí a 15 dias, retornando a seu apartamento, além de articulada sua primeira viagem à Europa, de uma série que pretendia desfrutar, eis que Regina esbarra em alguém que a encantara e que tentou se acercar por todos os meios de sedução, vivamente interessado em mergulhar naquele caudal de emoções. Ela foi transparente a respeito de seu relacionamento em decomposição, embora ressaltando que não lhe faltava vontade e desejo em descobrir o que ele lhe reservava.

Havia que desmilitarizar a zona de conflito em que Regina se estabeleceu. Era muito armada para não ser atingida em suas fraquezas. Procurava minimizar a importância de arrebatamentos, tachando-os de tolos, e precaver-se contra falsos desafios que não provam nada. Havia que abdicar do encargo de dominadora. Desta vez, iria se mostrar para o seu amado como ela é; deixar-se conhecer melhor. Para que mostrar-se irritável e ferir os outros com suas suscetibilidades? Prejudica conservar um ar meio duro, mesmo a título de se defender do tamanho do amor que já a habita. Um amor que lhe confere muita coragem e revigora seu ânimo, mas que assusta quando se manifesta como uma criança sem limites que se apodera de seu bom senso.

No entanto, Regina não quer tirar um homem para simplesmente colocar outro no seu lugar. Tampouco valeria a pena compartilhar o que ronda sua mente e a angústia que isso desperta se ele pouco contribuiria, além de deixá-lo inseguro e ressabiado. Ademais, não conte com Regina para dar satisfação do que anda fazendo – ou se respeita o foro íntimo ou se desgraça a intimidade.

Seu ainda companheiro pressente o perigo por ela ser voluntariosa e sua trajetória o comprovar sobejamente. Sabia que, se perguntasse o que está acontecendo, Regina daria com a língua nos dentes. Ela iria encará-lo e ele não suportaria ouvir a verdade. Prefere centrar sua raiva na suposta traição. Regina tenta explicar para ele não procurar defeito fora: simplesmente não existe amor para mantê-los juntos.

O revólver o aguardava em sua mesa de cabeceira. Quando a autoestima abalada se aproxima de uma arma de fogo, tudo pode acontecer. Quem é que não pensa em matar quem deseja abandoná-lo?

Vil e abjeto quem pressiona, ameaça e força o objeto de sua paixão cega e obsessiva a continuar vivendo com ele de qualquer maneira – rumina na cabeça de Regina e propicia o surgimento de uma influência maligna que torna vulnerável o seu sentido de autopreservação e obscuro o seu horizonte. O que a incita a picotar o "Jornal do Brasil" em mil pedacinhos, possuída pela mesma impulsividade com que resolveu explodir com o modelo de vida que a engessou numa falsa rainha.

Em disputa na arena "Não existe homem para dizer o que devo ou o que não devo fazer" versus "Se você não ficar comigo, não ficará com mais ninguém". Regina não para de falar e de intimidá-lo, duvidando se ele era homem e mandando-o atirar.

Criança é ensinada desde cedo a não brincar com fogo. Como se estivesse jogando roleta russa, Regina começa a acariciar o dorso da mão dele em toda a sua extensão, alcançando o dedo no gatilho. Ao que ele retribui, procurando entrelaçar as mãos de tal forma que a sua fique por cima e no controle, até para evitar, por precaução, que ela dê um tiro nas suas fuças em legítimo ato de defesa. À primeira vista, as mãos juntas transparecem que ambos estão segurando a arma, mas ele a força a empunhar o revólver, à medida que vai mudando a angulação do cano apontado para a têmpora, de modo que, se alguém disparar, parecerá suicídio. Premeditação e frieza eram o forte do campeão de tiro.

Ouve-se um tiro. Assassinato ou suicídio? Regina não esperava por esse fim. Aos 34 anos, em 1981. Pelo corte abrupto ensejado por um desfecho que não estava em suas cogitações. O remorso é uma maldição que atinge os vivos e os mortos, indistintamente. Regina não tomou os devidos cuidados com a sua integridade e não observou que o seu destemor desvairado subestimava as feridas que iam se abrindo em sua alma com a irrealização do tanto com que sonhava ao não ser compreendida.

Para a polícia, Regina não despertou maior atenção nem chegou a virar um caso, sendo arquivada sumariamente. As impressões digitais na arma eram dela, além de terem sido encontrados sinais de pólvora em sua mão. Pela angulação com que o tiro foi dado em relação ao punho, a perícia concluiu pelo suicídio. A ditadura vivia seus estertores, mas a polícia ainda estava mancomunada com o regime militar, fazendo-se notar a ingerência de familiares corretamente fardados para eximir seu protegido de culpa. Só assim se explica a extrema rapidez com que o delegado se decidiu pela versão do suicídio no próprio dia do único disparo que vitimou Regina.

Perante a visão espiritual, faltou temperança a Regina, que desperdiçou o ensejo precioso da experiência humana, tal como centenas de criaturas que se ausentam diariamente da Terra porque não conseguiram sossegar a alma inquieta e não se deram conta de que a aflição não soluciona problema algum. A nova separação de Regina favoreceu um campo de influência negativa que atraiu ciúmes, rancor, raiva, brigas, descontroles, desequilíbrios, envolvendo-a nas sombras e obscurecendo o seu raciocínio e o seu horizonte, com atuação decisiva e repentina no desfecho precoce de sua vida. Regina ainda não havia se encontrado em sua trajetória, assediada por indagações sem respostas, entregando-se à precipitação, notória nela. Perdeu a vida vítima de uma situação de conflito, de enfrentamento e confrontação, em que não mediu as consequências. Não tendo noção de que, deixando de existir no plano material, perdeu o direito ao controle sobre seus atos na vida que se segue. Não tendo consciência, perdeu a chance de interferir em seu rumo. Ela que sempre esteve empenhada numa luta consigo mesma decorrente das provas a que a vida nos submete. Uma provação que a consumia num corpo cheio de vontade, a desnortear seu espírito necessitado de conversações para encorajá-la a encontrar o amparo de que tanto carecia. Não ocorreu ao seu espírito aflito que nossa alma se assemelha à estrutura dos lagos: as águas agitadas não refletem imagem alguma; no entanto, quando tranquilas, espelham as próprias estrelas. Seu espírito imprevidente não se apercebeu de que nossa zona mental é um campo de batalha incessante no qual é preciso aniquilar a treva que nos habita, surpreendendo-a no reduto a que se recolhe, de forma a não dar margem a que ela se apodere de nossa alma e nos arraste para suas entranhas.

SUICÍDIO, UM ATO DE CORAGEM OU COVARDIA?

Antonio Carlos Gaio

Numa primeira impressão, apressada e superficial, o suicídio seria um ato de coragem: precisa ser muito corajoso para tirar a própria vida. Conseguir voltar-se contra si próprio. Posto que é antinatural cortar seus próprios laços que o vinculam à nossa existência, interromper a conexão com um plano de vida em que não devemos fugir às nossas responsabilidades. A despeito da angústia do suicida já conferir um estado cavernoso, que o associa à morte antes mesmo de se matar de verdade.

Contudo, é como se fosse nadar contra a correnteza, não o levando a lugar nenhum onde possa se sentir a salvo da agonia pré-suicida. Pois a vida continua em espírito, o arrependimento será inevitável, quando lá chegar e tomar consciência do que fez. Repercutindo como uma excelente oportunidade perdida de construir uma bela trajetória, encorpando os valores espirituais necessários para enfrentar as provações a que estamos sujeitos. Uma corrida de obstáculos na qual não divisamos o ponto de chegada e que não cabe desistir, já que, a cada curva, o sol é diferente. Iluminando-nos ou fechando o tempo. Embora ansiemos por uma linha reta ao longo do percurso para evitar surpresas desagradáveis para as quais nunca estamos preparados para assimilá-las – linha reta essa que, quando se apresenta contínua no monitor de sinais vitais em hospitais, significa morte.

O suicida, no entanto, confunde as cinzas mortais com o nada. Nada acontece depois que morremos. Se não é nada, ao menos significa o ser em decomposição. Esqueleto equivale a ruínas. Castelos em ruínas ou decaídos transformam-se em fantasmas e destroem sonhos. O suicida não supõe que o seu ato final configurar-se-á inútil, já que não acredita em outras vidas. Pois as compararia a renovados infortúnios. Não acredita em quem quer que seja depois disso tudo que está sofrendo. Só poderá sobrevir o Nada. Por não haver ninguém que justifique para ele por que passar por tamanha provação.

Por que ser ele o escolhido para submeter-se a tamanho sacrifício que pôs à prova sua força moral, não encontrando saída em suas débeis convicções? Mesmo os que professam fé religiosa podem ser abatidos pela descrença e se suicidarem.

Daí haver quem considere o suicida como um covarde, por não encarar os desafios da vida, procurando vencê-los. Simplesmente abandona o campo de batalha e bate em retirada por maltratarem sua sensibilidade sem dó nem piedade. Julga-se vítima de uma incompreensão sem fim com suas peculiaridades, não raro anunciando seus propósitos suicidas para atingir em cheio o espírito humanitário, no que identifica hipocrisia mal dissimulando crueldade sem par. É um derrotista ao extremo por não encontrar outro meio para reunir forças e energia e cumprir sua missão aqui na Terra como no Céu.

A opinião pública se condói e se abate diante do suicídio, especialmente os espíritas, em vista de ele abortar o caminho natural que temos de perseguir para resgatar carmas e passar a limpo vidas passadas. O espírito encarna no Plano Material com essa finalidade.

O suicida não quer se tratar e passar por uma assistência psicanalítica ou psiquiátrica para não imergir na reflexão do indivíduo adulto e colocar de lado certos aspectos que dizem respeito ao estágio puro e selvagem que caracteriza a infância, mas que continuam remanescentes. Padrão esse de comportamento em que linguagem era igual à expressão do desejo e, na medida em que avançava no tempo, entupia sua mente com conceitos e juízos que o iam confundindo, frustrando e embaraçando, a ponto de revelar o mal-estar de se descobrir nesse mundo completamente inadaptado. Alienado da sua experiência remota, o suicida procura todo tipo de justificativas para entender o que se passa consigo. Culpa o pai, a mãe, o barulho que vem do vizinho. Culpa o fundamentalismo islâmico e os Estados Unidos. Culpava o comunismo e o capitalismo selvagem. Culpa os políticos. Culpa o amor não correspondido. Culpa a indefinição de seu sexo. Culpa o achincalhe no colégio. Culpa a humilhação e a discriminação flagradas no dia a dia. Enfim, culpa a natureza humana. Só não deseja olhar para dentro de si e buscar na própria alma as pegadas de sua trajetória e as motivações que são de sua inteira e intransferível responsabilidade na condução do próprio destino, seja para se matar ou continuar a viver – ele e suas circunstâncias. O suicídio em vida.

SUICÍDIO POR DRAMA DE CONSCIÊNCIA

Antonio Carlos Gaio e
Lenita Bentes

Uma embarcação coreana de grande calado que transportava 475 passageiros adernou na costa da Coreia do Sul e rapidamente foi emborcando, até a quilha ficar fora d'água. O naufrágio não se consumou, mas o navio de cabeça pra baixo vitimou por afogamento cerca de 304 pessoas distribuídas por seus camarotes e demais áreas internas da nau. Isso somente aconteceu devido à equipe de comando ter recomendado repetidas vezes para que todos permanecessem em seus lugares desde o estrondo inicial, que pareceu um abalroamento, com o intuito de aguardar o socorro. As águas eram revoltas e escuras, cortadas por correntezas mal disfarçadas pela espuma do mar, à temperatura de inverno, não aconselháveis a se lançar ao mar, o que não impediu que a equipe de comando se salvasse à chegada da Guarda Costeira no local do sinistro.

O que agravou barbaramente o acidente foi o desaparecimento de 260 estudantes de ensino médio entre 16 e 17 anos e a dificuldade ao longo dos dias seguintes para se resgatar corpos no interior do navio naquela esdrúxula posição, além do mar batendo com a força de um furacão em meio a um tempo infernal. Eram garotos e garotas em viagem de férias, buscando refrescar a mente antes do início do pesado ano de estudos que marca o ultracompetitivo vestibular da Coreia do Sul, reconhecida pelo seu exigente sistema educacional.

Abatendo de forma definitiva o espírito de Kang Min-gyu, nomeado há um mês para o cargo de vice-diretor da escola Danwon e responsável por incentivar o fatídico passeio no final de semana, levando-o a se enforcar com um cinto em uma árvore. E se martirizar por carregar tamanha culpa, ainda mais que estava a bordo como chefe dos professores que acompanhavam os alunos na viagem.

Deixou um bilhete pedindo perdão por ter planejado o tour turístico: "Não posso viver sem saber se os meus estudantes estão vivos ou não. Por favor, deixem que eu assuma toda a responsabilidade, já que pressionei para que essa viagem fosse realizada. Queimem meu corpo e joguem as cinzas no local do naufrágio. Serei, uma vez mais, professor na vida após a morte dos meus alunos cujos corpos não foram encontrados".

O suicídio foi consumado quando desistiu de procurar os parentes de seus alunos desaparecidos para pedir desculpas – e repetidas vezes ser rejeitado pelos pais desesperados. Ao cristalizar ter trazido o infortúnio para centenas de famílias e ver sua honra desgraçada como professor por ter conduzido seus alunos para a morte.

• • •

Considerações de Lenita Bentes:

Não por este episódio Kang Min-gyu se suicidou, embora estivesse certo disso.

O neurótico vive no drama e, muitas vezes, passa a vida a agir conforme sua imaginária participação no drama de existir. "Melhor não ter nascido!", dizia-se Édipo, ao descobrir que matara o pai e dormia com sua mãe, na tragédia da qual tanto se serviu Freud para mostrar a existência do inconsciente na novela neurótica.

Este sujeito embarcou na nave da culpa, a declarou sua, e juntou-se aos alunos que pretendiam fazer apenas uma viagem de férias e foram colhidos pela contingência.

O neurótico é um criminoso inconsciente, segundo Freud. No entanto, o crime fantasiado pode tornar-se real sob determinadas circunstâncias. Por exemplo, este sujeito naufragou a partir desta cena. A culpa é anterior ao crime, segundo Freud, o sujeito comete o crime para espiar a culpa. São criminosos por sentimento inconsciente de culpa. Em sua fantasia, este sujeito foi o culpado pela morte de seus alunos aos quais havia convencido de que deveriam fazer a viagem.

Tirou-se a vida porque se viu no beco sem saída da angústia, tendo que explicar o inexplicável aos familiares das vítimas mas, mais do que a eles, a si mesmo. Seu narcisismo não resistiu ao fato de que as leis do destino se tecem com as regras do acaso.

OS EFEITOS DO ATO SUICIDA SOBRE FAMILIARES E AMIGOS

Lenita Bentes

Diante de um ato de tal magnitude, a perplexidade se instala e uma enorme onda de perguntas assola a família e os amigos que são os laços preferenciais do todo sujeito, mesmo que possam haver aí certas nuances. Desde o "Por quê?", "Como?", "Poderíamos tê-lo evitado?" – enfim, perguntas que nem mesmo a carta ou a mensagem deixada pode responder. Quem o poderia, está morto.

Os mais próximos são os que mais sofrem, pois se julgam responsáveis, desleixados, pouco criteriosos, enfim, a culpa do ato cai sobre aqueles que, por estarem mais perto, julgam-se os responsáveis. Entretanto, me parece que esta é a indicação da impossibilidade de perder o ente querido.

O morto passa, inicialmente, por um endeusamento, qualquer que seja a circunstância de sua morte, tomado como vítima. Não sempre os algozes são os que a ele sobreviveram. Muitos declaram que o ato decorreu de sua própria insustentabilidade.

O suicídio é um ato que desconcerta, que estraga, que destrói a razoabilidade. A perplexidade deixa atônitos a todos os que o cercavam. É uma imposição nua e crua, a qual produz no outro um gosto amargo de fel.

Mesmo no caso da morte que não se dá pelo ato extremo do suicídio, há um horror que corrompe a razão e devasta a cada um a seu modo. Não há como não temer, ver-se reduzido ao próprio corpo. Nossa primeira morada, nosso primeiro abrigo, o que aprendemos a amar através do outro que nos engendrou, no qual nos espelhamos para construir nossa imagem.

A devastação atinge a todo entorno do suicida. Entretanto, não foi um ato com endereçamento algum, como já disse, não foi para ninguém. Foi uma ruptura com a dialética subjetiva, ou seja, a dialética entre as perguntas e as respostas. Para todas as perguntas que aquele que se suicida se faz, excluindo o outro que poderia pô-lo em dúvida quanto à morte. Esta como solução às incessantes perguntas sem resposta, pois a vida comporta muitos impossíveis. Não há solução porque já não há problema. Reforço que é um ato sem endereçamento. Mesmo que a mensagem ou carta esteja dirigida a alguém, é uma falsa mensagem por orientar-se por uma falsa questão. A mensagem escrita pelo sujeito é endereçada a ele mesmo e, como não há quem possa acusar o recebimento, leva ao ato. A carta do suicida é uma escrita terminal.

Os rituais, os encontros entre amigos e familiares, que também são rituais – mais íntimos, suavizam em muito a dor da perda. Por vezes as religiões também cumprem esta função. Outras vezes, é necessária a escuta de alguém para que os que ficaram se situem frente ao acontecido, com o sem sentido que um ato desta natureza produz.

É por produzirem horror que os suicidas entram para a história de seus parentes e amigos para sempre. Perpetuam-se como signo eterno. Passam da vida para a história.

O suicídio faz uma marca profunda na história de famílias, amantes e amigos. Um suicídio é sempre rumoroso. Como todo rumor, se diz em meias palavras, à boca pequena, porque se causa horror, também é causa de excitação. É próprio do humano flertar com o horror.

O SUICÍDIO DE DANIEL

Antonio Carlos Gaio

O suicídio de Daniel, aproveitando que seus pais, já separados há mais de 15 anos, porém com os ressentimentos ainda não suturados, conversando na sala do apartamento em que morava com a mãe, em seus 23 anos, mas parecendo o mesmo garoto de sempre com 15 anos, que não queria crescer, ou melhor, não sabia crescer, quanto mais amadurecer, sem falar que colocava a culpa em seus pais, apenas por suas personalidades díspares que não foram feitas uma para a outra, implicando em sérias consequências para a sua psique, nada mais restando do que sair de seu quarto e se dirigir à janela da sala, passando em frente a seus pais, sentados em poltronas separadas, um defronte ao outro, numa conversa de terráqueo com alienígena, nunca fazendo contato, para se atirar do 7º andar e nunca mais tomar conhecimento das sequelas que seus pais lhe legaram, ambos bem formados, estruturados, inteligentes, esclarecidos – o que importa se um mais vivaz e o outro embutido?

Só morrendo para se despir do espírito com que veio ao mundo e não soube transformar. Pior, nunca acreditou ser isso um dia possível de acontecer. Com que base, com que referência, com que parâmetros, com que exemplos a seguir, se não ignorava que era uma missão de sua inteira responsabilidade? O que não poderia esperar é que uma frondosa árvore ampararia sua queda e teria uma nova chance com a perna fraturada, o suficiente para meditar sobre seu futuro.

Para quê? Se fracassou numa viagem como mochileiro pela Europa, sonhando com poder ter nascido nos tempos de paz e amor, ao angustiar-se ao longo do percurso, pois nem mesmo drogas eram seu forte. O amor que nos vincula à vida, um ponto distante no Universo. O que lembrou, de fato, foi o de terem lhe aplicado o golpe da Cinderela, quando acordou num quarto de hotel e não despertou para o que lhe fizeram, mesmo porque transformou num segredo inviolável. Era um garoto bonito, casto, doce, sem malícia, singelo em sua pureza. À mercê de uma maioria no nosso meio que costuma abusar dos que procuram se abrigar em sua inocência.

Tornando-se um inadaptado. "Não posso viver num mundo assim. Eu não vou dar certo. Não saberei ser igual aos outros. A quem irei amar, se eu não sei amar? O que fazer em minha vida, se não sei para que sirvo? Jamais poderei ter filhos, se ainda preciso ter minha mãe e meu pai, quando, se pudesse, eu os dispensaria; afinal, sinto culpa por eles ainda se preocuparem comigo. Sinto-me um inútil."

E atirou-se com seu carro de encontro a uma pilastra de viaduto. Morte mais improvável do que na primeira tentativa. Daniel passou incólume por várias terapias. A mãe é terapeuta. O pai se recusava a se tratar por não acreditar que um sujeito se imiscuísse em sua intimidade e dissesse a ele como deveria viver ou se portar. A irmã gêmea de Daniel era a preferida do pai e cresceu em litígio com a mãe, até se bandear para a mesma área de atuação, optando pela linha acadêmica. Não sem anos antes cair a verdadeira face de seu pai, sempre fingindo-se de desentendido e ignorando o que ocorria de concreto ao seu redor, a reproduzir um autista, a despeito de seu alto QI. O que a fez irritar-se por ter se enganado ou sido ludibriada por ele e puxar a toalha de mesa já com o jantar servido em travessas com a comida fumegando, na presença de sua nova esposa e de seu terceiro filho.

Daniel jamais teria coragem e ousadia para tamanho gesto. Agressividade não combinava com ele. Isso não iria mudar seu pai mesmo! Nem conseguiria se desvencilhar de tantas imperfeições que desvirtuavam seu destino e tiravam a tranquilidade com que queria tocar sua vida. Apesar de uma beleza rara que só transpirava inocência, foi obrigado a se violentar valendo-se de um fim brutal para se livrar da pressão que sentia na aproximação de quem quer que fosse. Privando-nos da presença de uma pessoa que podia tornar esse mundo melhor com seu espírito pacífico, se resistisse ao mar revolto que não raro nos assola e não optado por circunscrever-se a uma ilha. O suicídio em vida.

OS SUICIDAS AMBULANTES

Antonio Carlos Gaio

Até os meus 19 anos, não atinava com os frequentes pesadelos de escalar uma montanha escarpada e não me dar conta da altura a que tinha chegado, no afã de subir cada vez mais sem observar as circunstâncias que punham minha integridade em risco. Somente quando o solo começava a se esfarinhar aos meus pés e as minhas mãos procuravam se tornar patas de felino agarradas ao penhasco é que sobrevinha o medo, ao cair em mim e me ver no impasse de como descer o tanto que tinha subido, já que um passo em falso implicaria em morte certa ao despencar ribanceira abaixo. Paralisado de terror e suando em bicas, o melhor a fazer era despertar do pesadelo e retornar ao solo seguro – a cama – para me salvar de um suicídio não premeditado, o vulgarmente chamado suicídio puro.

O sonho é revelador. A título de quê colocar a vida em risco sem se resguardar? Ao se arriscar, põe sua vida em perigo e a morte é iminente, mesmo que o desenlace não ocorra no momento esperado ou no tempo previsto. Em sã consciência, ninguém poderia dar esse passo em falso conforme descrito no sonho. Como não? Milhões de pessoas não se cuidam sem se preocupar com uma precária condição de saúde que se avizinha – cansadas da vida, já entregaram os pontos. Se é que se cuidavam antes, mental ou fisicamente, justificando a negligência com base na humanidade, desde os primórdios, ser frequentemente assolada por cancros, pouco adiantando se tratar *in totum* com extrema atenção, pois que perseguir a cura por vezes cansa, quando implica em secar o prazer de gozar a vida. Daí ser inevitável recorrer ao vício de fumar e ingerir bebidas alcoólicas, senão acoplado às drogas, sejam as leves ou as químicas, tudo irmanado no propósito de acalmar os ânimos e relaxar, ou te jogar em outra referência ou quadrante da vida – a palavra de ordem é distensionar.

Igualmente não se cuidam os que dirigem seus veículos em alta velocidade, bêbados ou não. Desafiam a morte, até para ver se ela é capaz de levá-los daqui – isto aqui está muito monótono ou inapropriado ou inviável. Sem contar as más companhias que não te põem no bom caminho e o induzem a se defrontar com inimigos inesperados que jamais pensarão em poupá-lo – ainda mais que o inimigo sempre se apresenta acima de qualquer suspeita. Para não falar das drogas, que atuam por meio da sedução de abduzi-lo para uma outra realidade completamente diversa daquela que é obrigado a viver ou para erradicá-lo de nosso convívio.

São os suicidas ambulantes.

Outro sonho se inicia ao abrir os olhos, desprotegido no madrugar. Eis que me defronto com um homem corpulento que me ameaça. Ameaça do banco da frente de um carro enquanto eu, atrás, emudecia por não ter feito absolutamente nada contra ele. Será que não? Pois queria riscar minha retina! Curioso eram os amigos também dentro do carro, tentando acalmar o brutamontes para me proteger, embora com medo dessa figura estranha que só existe em sonhos.

Sonho revelador. A figura que surge é para mostrar quão pequenos somos diante da dimensão da vida que, por vezes, é massacrante para quem não consegue se fortalecer e se estruturar, fazer escolhas, principalmente em momentos críticos, conhecer-se melhor, saber dizer não e abandonar o que não presta e quem tenta diminuí-lo, para que não prevaleça a baixa autoestima e se instaure o medo, vergando a cabeça, se encolhendo e achando que não há espaço nesse mundo para si e que o melhor seria morrer, se suicidando.

Pesadelos esses dissipados em sessões de psicanálise com o Dr. Eustachio Portella Nunes Filho em sequência ao suicídio de meu irmão Luiz Jorge, em 1965.

SOMOS TODOS AMBULANTES ENTRE A VIDA E A MORTE SEMPRE: UM COMENTÁRIO

Lenita Bentes

Meu amigo, e parceiro neste livro, abre uma importante questão, a saber, a dos suicidas ambulantes. Desejo comentá-la uma vez que me provocou algumas reflexões. É uma sutileza que meu amigo percebeu, qual seja a presença permanente da morte em nós, já que, normalmente, vemos o que é mais evidente. O que é menos contundente e irrecusável aos olhos e às emoções. Há, como o percebeu, modos de destruição muito sutis, recusáveis ao olhar e aos ouvidos, e outras vezes, nem tanto, mas enfim...

Meu parceiro diz de seus sonhos de adolescente ao início de seu capítulo. A adolescência é, por excelência, uma fase da vida em que nos pomos em risco, conscientemente, mais do que em qualquer outra. Escalar uma montanha, sem calcular se isto levará ao chão ou ao topo, é muito ilustrativo do "tudo é possível" típico da adolescência. Voar quando não fomos habilitados para tal, exemplifica o gosto pelo risco, próprio dessa fase da vida.

No entanto, a relação com o impossível, com o insustentável, quando o reconhecemos, deixa ver que algo se esfarinha, que falta apoio na realidade, e que o solo no sonho cede. Se o solo cede, é porque o sonho é mensagem. Sou mortal! Então, a vida fala mais alto em sua força pulsional e faz o sonhador acordar diante do real da morte.

Não há desejo puro! A morte e a vida são duas forças sempre mescladas. Ora uma, ora a outra, toma a dianteira. O vemos nos sonhos, nos atos falhos, nos sintomas e nos atos certeiros, como o suicídio. Um dia, seja como for, perderemos a batalha.

Como bem disse Gaio, o sonho é revelador, "é a via régia do inconsciente", e através dele nos é dado ver algo numa fulgurância por vezes assustadora, como é o caso nos pesadelos. Por que colocamos a vida em risco sem nos resguardar? A vida é risco, como diz Guimarães Rosa: "viver é perigoso". Não sabemos do momento do perecer nem do tempo que nós é dado ou nos damos viver. Tudo dependerá de determinadas coordenadas simbólicas que nos escapam quanto ao "duro desejo de durar"[15], como nos diz Lacan.

A consciência, Freud jamais encontrou onde localizá-la. Há o inconsciente e este revela que vivemos no *pathos* desde sempre. Necessitamos de um outro que nos deseje para que possamos desejar. Outro que com seu desejo nos impregna de

---

15 Lacan. J. O seminário, *Livro 17*: o avesso da psicanálise (1972/73). Rio de Janeiro: Jorge Zahar Ed., 1992, p. 54.

vida, mas não apenas dela, pois também nos é transmitida a morte.

É quando não mais queremos viver que ocorrem os descuidos, acidentes (não todos), não porque sejamos suicidas em potencial, mas porque a morte, o apetite para a morte, nos habita desde sempre. Neste sentido, sem o saber, definimos, inconscientemente, o nosso destino. Para os humanos, os seres falantes, diferentemente dos animais, traçamos o nosso destino com toda a complexidade que tal traçado implica.

Garcia Marquez, em um de seus extraordinários livros, diz "nada se assemelha mais à morte de alguém do que a vida que ela teve".[16] Há, portanto, no gozo de viver, também o gozo de morrer.

Se distensionar é um propósito, tal decorre da dificuldade de suportar a vida. Neste caso, somos sempre suicidas em potencial, pois o corpo quer é gozar e, para tal, necessita eliminar o sofrimento. A vida não quer curar! A vida quer gozar e, neste particular, somos todos viciados no gozo da felicidade eterna, na juventude eterna, no prazer eterno, no lucro eterno. Desejo de eternidade que se cumpre na morte como anulação do sofrimento impregnado pela ficção da verdade. Só aquele que morre se eterniza.

Desafiar a morte ou a vida é causa perdida, ambas serão experimentadas a seu tempo. A primeira virá, certamente, não se sabe quando. A segunda não carece desafiar, mas simplesmente experimentar. A experiência da vida pode ou

---

16 Márquez, G. G. O amor nos tempos do cólera. Rio de Janeiro: Record, 1985.

não ser interessante mas, convertê-la no trabalho de negar o impossível, é empobrecedor o bastante; é a negação da própria vida na qual teremos que ceder ao impossível. Este não cede ao desafio.

Somos ambulantes, todos, entre a vida e a morte sempre. Não há outro destino a que o existir se destine senão deambular entre uma e outra.

Em seguida, meu parceiro conta outro sonho. Ele o interpreta e quanto à sua interpretação, a que lhe serviu naquele momento, não tenho nada a declarar! Ele é quem tem ou teve a possibilidade de o fazer.

Cada sonhador é autor, artífice e intérprete da via aberta ao inconsciente no sonho, onde todas as pessoas do sonho, são a própria pessoa do sonhador.

SUICÍDIO EM VIDA

Antonio Carlos Gaio

Alberto nasceu no seio de uma família em que sua mãe abraçou a loucura ao se ver largada pelo marido e preterida por outra, aceitando passivamente ingressar em uma clínica para doentes mentais.

"Comecei mal!" – pensou Alberto. Tal infortúnio fez minar as forças que arregimentava para enfrentar a vida. Bastou ter ocorrido mais uma ou duas fatalidades, de menor gravidade, para resolver optar sempre pela segunda chance – aquela que envolvia menos riscos. Não se encaixava bem no jogo político que todo meio profissional exige, embora aparentasse exatamente o contrário por ser extremamente habilidoso e social no convívio com os outros. Mas não procurava promoção nem destaque e sim um ambiente onde pudesse lidar com pessoas de modo confortável e sem competição.

Quando trocou um casamento de 30 anos, jogou todas as suas fichas num novo relacionamento, que veio a se converter num tremendo equívoco que só aumentaria sua culpa por sucessivos erros. A despeito de ser um homem culto, inteligente, experiente e preparado.

Fumava desbragadamente e bebia cerveja como se enfiasse a boca na torneira que verte água sem parar.

A vida é feita de escolhas. Optou profissionalmente por não mais lutar, apesar de bem cotado e respeitado em seu meio, e aceitar uma aposentadoria que diminuiu consideravelmente seu padrão de vida, não suficientemente resguardado por suas poupanças.

Nunca cuidou bem de si, seja por uma tuberculose ou pelos seus dentes que foram caindo. Jamais se deitaria no divã de um psicanalista, pois cansa perseguir a mente sã, ainda mais quando se exige abandonar o marasmo, a preguiça, a falta de confiança, embolado com a depressão.

Uma precária condição de saúde se avizinhava. Cansado da vida, começou a entregar os pontos, não parando de se culpar por seus erros e não conseguindo superar o passado, alegando que ganhava pouco e que iria morrer de fome.

Quando a escolha foi sua por não querer melhorar de vida e mostrar-se sem ambição. Passando a avisar à sua atual mulher e a seus filhos para que desliguem os aparelhos, se isso estiver mantendo-o superficialmente vivo. Transfere o encargo de despachá-lo para a morte a seus carrascos, justamente os seres humanos que mais o amavam. Esses, por sua vez, sentiam compaixão ou, então, julgavam-no covarde e fraco, mas não diziam. Nem tampouco que era um ateu burro por piamente acreditar que podia ingerir sobre a hora e a forma de morrer, não cogitando de viver seus últimos momentos entrevado na cama. Até por alimentar, com fervor, o desejo de ser catapultado de uma noite para outra, ainda que suando frio só de pensar.

Todavia, não tem coragem de se matar, como não teve coragem de viver a vida que merecia, já que sempre mentiu para si mesmo, mal utilizando sua inteligência privilegiada para vender outra imagem dentre o seu círculo de amizades. Que nada podiam fazer para tirar essas ideias irracionais de sua cabeça porque não permitia que penetrassem em seu âmago. Que levantassem questões ou dúvidas cujo intuito era demolir essa estátua de sal que construiu para o lugar de sua alma, de modo a secar sua sensibilidade e anular o que mais prezava em sua personalidade: a extrema racionalidade que costumava empregar para destrinchar seus grandes dilemas – mas que não vinha dando bons resultados.

Não admitia que regrassem o seu cotidiano, tal como abandonar os cigarros em razão da sua penúria financeira. Ia de lá pra cá na vida, parecendo ter feito um pacto com Deus, embora não O reconhecendo. Um pacto para dar volta em cima de volta, entrar num labirinto sem fim, dar tempo ao tempo, enganar o que é para ser levado a sério, justamente por não mais confiar em suas potencialidades.

Pouco importa se o seu fim foi o suicídio. O suicídio em vida.

O QUE SE PASSA NA CABEÇA DE QUEM PENSA EM SE SUICIDAR

Antonio Carlos Gaio

O suicida pensando.

Eu já estive muito próximo de pôr em prática o plano de ir embora desse mundo. Por vingança. Por acreditar que com essa atitude talvez conseguisse atingir aqueles que estavam me machucando. A minha forma de ser me levava a crer que as pessoas não me aceitavam ou torciam o nariz para mim ou, no mínimo, faziam sérias restrições. Dessa maneira, brotou a certeza de que nesse mundo não vale a pena viver.

Se não fosse a terapia... Foi o que me salvou. Onde pude colocar pra fora todas as minhas angústias, ansiedades e as dores da alma. E perceber que eu não era vítima de ninguém, ou melhor, eu estava me encaminhando para ser o meu próprio carrasco. Foram muitos anos seguidos de psicanálise para descobrir que as respostas se encontravam dentro de mim. Começando por encarar meus fantasmas, meus vampiros, os felinos de toda espécie que vinham me devorar de madrugada em meu leito. Alguns eu domei, outros ainda me atemorizam até hoje, mas procuro administrá-los.

Um mundo que exige sucesso ou realização, seja em que nível for, dificulta cicatrizar as feridas na alma que vão se abrindo ao longo da vida, fruto do inconformismo com a maioria que não enxerga o mundo livre das cortinas que embaçam nossa visão, provocando a sensação de que este lugar é um plano denso demais para determinados corações.

Poucos te entenderão.

O fator mais importante que leva alguém a direcionar seu caminho para bem longe daqui por sua própria conta é o desespero. É perceber que, por mais esforços que se faça, nada contenta a expectativa alheia, nem tampouco satisfaz o tanto pelo qual sua alma clama. Pensamentos, imagens, desejos, sonhos, pesadelos, frustrações, conflitos e solidão se revezam de modo fulminante e vão minando o coração. Os desafios se acumulam e assustam, as cobranças não lhe dão sossego. É muita insegurança. Dói na alma conviver com tanta falsidade, mentira, intriga. Só se blindar o coração.

Não poucas vezes o desespero bate na minha porta. Esmurra, tenta arrombá-la. Mas busco de alguma maneira neutralizá-lo com certos mecanismos aprendidos em terapia, como não guardar rancor, pondo pra fora sentimentos nocivos como ódio, raiva, aversão, mesmo que tenha de explodir e isso pareça um mal quando exposto.

Não quero acabar com a vida quando penso em suicídio, mas sim com a dor que ela me faz passar. Tem dias que realmente você não tem vontade de sair da cama. Sensação de torpor, cansado desse mundo de merda e de grande parte da humanidade ser cruel, não havendo nada concreto que possamos fazer para alterar a ordem natural das coisas.

O suicida utiliza a autocrítica e a severidade para consigo mesmo como uma ferramenta para a autodestruição. Torna sua própria mente num campo de batalha ao invés de caminho para extrair todo o potencial possível de modo a vencer o sofrimento do estado pré-suicida, caracterizado pela tensão, inquietação, angústia, que bem podem servir, se revertidas em molas propulsoras para um grande salto de trampolim em seu crescimento interior. A virtude floresce, mesmo sendo implacavelmente ferida. E a felicidade bem pode significar uma encarniçada guerra interna na busca pela autossuperação.

O suicídio é encarado por uma considerável corrente como um ato de covardia e de egoísmo. Muito fácil falar quando não é sua alma que está sangrando. A estrutura do suicida é frágil e se ofende com brincadeiras invasivas que criticam sua personalidade introvertida, sem saber se está sendo negado ou rejeitado ou mesmo humilhado. Como se tivéssemos a obrigação de nascer imunes a estas colocações, só porque há quem saiba lidar com disputas para ver quem é o melhor. Acostumados a competir, dos quais o suicida quer distância.

Eu então decidi que não iria me entregar. Lembrei-me de que não estou sozinho e que tenho razões fortes para continuar lutando nesse plano. Encontrar forças para que a depressão e a tristeza profunda não me afundem mais. Encontrar no amor alguém para dividir os momentos mais difíceis. Mas quando vejo a falta de compaixão irremediavelmente se generalizar, dá vontade de me dirigir a todos vocês que estão me lendo: não se deixem levar pelo lado cruel das pessoas, nem tampouco se julguem melhores ou mais corajosos do que os que abriram mão de viver aqui. Apenas guardem um silêncio sepulcral em respeito aos que desistiram, face à sua penosa partida, por mais inconformado que se apresente com o irreversível desfecho trágico, por não ter podido salvá-los. É muito mais difícil amar o seu próximo do que dar vazão aos seus conceitos de superioridade e estender sua ira aos que chama de covardes e fracos.

A CARTA TESTAMENTO DO SUICIDA

Lenita Bentes

Algumas cartas de escritores que se suicidaram mostram o que vai na mente daquele que se dispõe a tal ato. Estas cartas estão publicadas em suas biografias, sendo, portanto, de domínio público, e servindo para indicar o que cada um tomou para fundamentar seu ato. Entretanto, não há escritor suicida, mas escritores que se suicidam.

Transcrevo a carta testamento do escritor Stefan Zweig:

> "Antes de deixar a vida, por decisão própria e em pleno juízo, tenho de cumprir um último dever: agradecer sinceramente ao Brasil, maravilhoso país, o oferecimento a mim e a meu trabalho de tão agradável e hospitaleira estada. Aprendi a amá-lo cada dia mais, e em nenhum outro lugar eu teria podido reconstruir inteiramente minha vida, já que o mundo de minha própria língua está perdido para mim, e minha

> pátria espiritual, a Europa, destruiu-se a si mesma.
>
> Aos sessenta anos, porém, seriam necessárias forças excepcionais para um recomeço, e as minhas estão esgotadas pelos anos de errância sem pátria. Assim, julgo preferível dar fim, no momento certo e de cabeça erguida, a uma vida para qual o trabalho intelectual sempre representou a mais genuína alegria, e a liberdade individual, o bem supremo na Terra. Saúdo a todos os amigos! Que eles ainda possam ver as luzes da alvorada após a longa noite! Quanto a mim, estou muitíssimo impaciente. Eu os precedo."[17]
>
> Podemos ler nesta carta duas coisas importantes. A errância e o exílio como propiciadores do ato e a perda da língua materna. Acresça-se a isto a angústia que precedeu o ato, além do movimento e o fato de estar aparentemente endereçada, tornando a vida insuportável.

Transcrevo a carta testamento da escritora Virgínia Woolf:

> "Meu muito querido, estou certa de estar louca outra vez. Sinto que não podemos

---

17 Zweig, S. A marcha do tempo. Rio de Janeiro: Guanabara, 1943, p.41.

atravessar outro destes aflitivos períodos. Eu não lutarei mais desta vez. Começo a ouvir vozes, e não posso me concentrar. Então vou fazer o que me parece a melhor coisa a fazer. Você me deu a maior felicidade possível. Você foi para mim tudo o que podemos ser. Eu não creio que duas pessoas tenham podido ser mais felizes até que esta terrível doença sobrevém."[18]

Renomada escritora inglesa cujos surtos de loucura ocorriam a cada vez que terminava um livro. Foi a escrita que a manteve estável durante a maior parte de sua vida. Além da escrita, seu marido Leonard Woolf foi o esteio simbólico que permitiu que se mantivesse no trabalho de escritora, chegando mesmo a criar uma editora numa época em que as mulheres deveriam assinar seus livros com nomes masculinos ou estes não seriam publicados. Apesar dos esforços de Leonard Woolf, Virgínia não suportou ser acossada pelas vozes da loucura. Encheu seus bolsos de pedras e atirou-se no rio Once, que corria nos fundos de sua casa.

---

18 Vários autores. "Dossiê de Virgínia Woolf". Em: Le Magazine Littéraire, nº 437. Paris: 4, Rue du Textel, décembre, 2004, p. 37.

Em um artigo sobre o suicídio de Sylvia Plath, escritora americana que morreu em Londres, Anne Sexton escreveu:

> "O suicídio é, afinal, o oposto do poema. O problema é que os suicidas têm uma linguagem especial e, como carpinteiros, só querem saber quais ferramentas usar, nunca se perguntando: por que construir."[19]
>
> Sexton relacionará o precário equilíbrio do suicida a "alguma coisa não dita, o telefone fora do gancho, e o amor, seja lá o que for, uma infecção."[20]

Outra razão para ter selecionado as cartas de alguns escritores que se suicidaram, deve-se ao fato de os escritores terem o privilégio de transmitir, com aguda clareza, os momentos finais de suas vidas. Se acompanharmos as suas trajetórias de vida, como o fiz com os dois primeiros, constataremos que o suicídio esteve, desde muito cedo, presente em suas mentes.

Foi sempre um grande esforço para eles driblarem esta solução para seus problemas. Sendo salvos, a meu ver, por muito tempo, pelo trabalho de escrever, de terem se tornado escritores.

Porém, num determinado momento, o que era uma

---

19 Carvalho, A.C. A poética do suicídio em Sylvia Plath. Belo Horizonte: UFMG, 2003.

20 Ibidem.

solução torna-se um empuxo à morte. Refiro-me à própria escrita. Esta pode ajudar por muito tempo a alguém se manter vivo, mas há um determinado ponto da vida em que a escrita, sempre interminável, se torna terminal.

Lendo estas três cartas, podemos observar o ponto de certeza quanto à melhor solução para a vida: a morte. Repito que ela se dá por um acúmulo de pontos de certeza que se converte em ato. Não há brecha, lacuna em seus monólogos consigo mesmos. O espaço é apertado demais, sem reticências, só há lugar para a morte.

A carta do suicida chega junto com ele, é a ele mesmo endereçada. A carta do suicida, como o seu ato, só serve a ele mesmo. Não há Outro (linguagem) que dê conta de interromper suas certezas.

Carta testamento porque é uma carta em que seus bens mais queridos, em alguns casos, são distribuídos e, além disso, é um documento que testemunha o ato.

O suicídio é ainda um crime em que o autor e a vítima coincidem, por isso, não há quem possa pagar por ele. Não serve para pagar ou para receber algo, não serve para nada. Não há um depois para este sujeito, que torna-se resto.

Por que a carta ajuda a prosseguir até o ato? Porque com a exclusão do outro, não há quem o possa questionar em sua certeza. Ele está só e passa ao ato.

A carta do suicida empurra ao ato, selando com a escrita o ato que o transformará em puro resto. Por isso a chamo de escrita terminal. Quando se exclui o outro, quando nos afastamos do laço social, com tudo o que este comporta de mal-entendidos, estamos em perigo, na solidão de um ato, como em todos os atos, sendo que o ato suicida deve ser refutado, uma vez que o sujeito não pode dele se beneficiar.

Como podemos observar, a carta testamento diz da certeza do ato. Não há vacilação como não há nenhum endereçamento senão ao próprio sujeito do ato. É uma espécie de "dou fé". O sujeito escreve para si mesmo, deixando escrita testemunhando sua certeza.

Nesta escrita, o próprio sujeito atesta a sua morte numa antecipação de que tudo tem a ver com todo o movimento que precede o ato, na angústia a qual está entre o que se quer mostrar e o não querer saber.

O SUICÍDIO AINDA É UM TABU

Antonio Carlos Gaio

É preciso retirar o suicídio da lista de tabus para debatê-lo sem medo e com profundidade. Ao sepultar o suicida sem submetê-lo à autópsia para não se imiscuir muito na causa mortis. Hoje rapidamente se providencia a cremação para não vir à tona se havia algum problema de saúde insanável, seja físico e muito menos mental, baseado na seguinte assertiva: de que adianta investigar os motivos que levaram o suicida a se retirar da vida se ele já está morto e não cabe à justiça terrena julgá-lo? Nem existiria um defensor que procurasse justificar esse gesto extremo, pois teria de arrolar razões que transcendem a vida humana, as quais não domina. Ainda mais que o suicida não ajuda ao esconder seus propósitos para ter desistido da luta pela vida. Um segredo guardado a sete chaves. Quando muito uma carta, que nada esclarece, tamanha a convulsão em seu estado de espírito.

Alguns vão deixando pegadas à medida que se aproximam de seu destino irreversível, como o ator Walmor Chagas, quando se refugiou num sítio a 60 km de Guaratinguetá. Não gostava de depender de ninguém. Manifestou o desejo de partir mais cedo se o seu estado de saúde se mostrasse precário. Não queria dar trabalho a quem quer que seja. Hipertenso, foi perdendo o gosto por comer, alegando problemas no estômago que dificultavam a alimentação. Reclamando da catarata que o impedia de ler – sua grande paixão. Nada que não pudesse tratar ou ser mais comedido na escolha do cardápio. Dizia que só pode ser louco quem acha que a velhice é a melhor idade, complementando por: "Depois dos 80, a véspera está próxima". Tudo isso em meio a escrever a peça "O homem indignado", na qual o personagem se suicida com uma espingarda – cada vez mais a ficção imita a realidade.

Walmor Chagas se suicidou aos 82 anos com um tiro de revólver na cabeça. Preferiu morrer antes a ser homenageado com o maior prêmio do teatro pelo conjunto da obra ao longo de 64 anos. Um ator que fazia qualquer papel pequeno parecer grande. De ironia fina, culto, inteligente, o homem indignado era o tamanho de seu caráter.

O homem que desde cedo se desvinculou de Deus, tinha no teatro sua religião. Era nos palcos o terreiro em que seu santo baixava. Preferiu sair de cena consumido por um fastio da mediocridade geral que campeia aqui e acolá, vítima da superficialidade televisiva que invade o teatro brasileiro, o que tirou seu espaço da cenografia clássica e ajudou a ceifar sua vida. Não aceitou o tempo rodar outro filme e lhe apresentar uma nova realidade. Autoritariamente querendo impor seu ponto de vista intelectual a respeito de nossa existência, embora sabedor de que não há acordo com a Morte. Menosprezando-a ao tomar a iniciativa de se matar.

COMPAIXÃO PELOS ARTISTAS QUE SE SUICIDAM

Antonio Carlos Gaio

Não se sabe quem mais se suicida, seja por sexo, religião, perfil psicológico ou classe social. Só existem estatísticas não confiáveis, quando muito por país ou cidade preocupada com o seu porvir, tamanho o desconforto que o suicídio traz. Contudo, todos se comovem, pranteiam e se solidarizam se a desgraça se abate sobre um ídolo do meio artístico ou literário após ver sua carreira declinar e cair no ostracismo ou quando mergulha na megalomania e fracassa ao não dar conta de interpretar o mundo dos sonhos que permeia a ficção, sem distingui-la da realidade.

A atriz Capucine, que estrelou o filme “A Pantera Cor-de-Rosa” com o inesquecível Peter Sellers, diante do rareamento de atuações, tornou-se reclusa e deprimida, suicidando-se do 8º andar do edifício em que vivia há mais de vinte anos, cercada de muitos gatos.

Pagu foi a grande musa modernista do Movimento Antropofágico e, como militante comunista, a primeira mulher presa por motivações políticas no Brasil. Não aguentou o rojão do vanguardismo e atirou contra si mesma quando se viu acometida de câncer aos 52 anos – mas não morreu.

Violeta Parra, conhecida por celebrizar as raízes folclóricas chilenas na música popular e por cantar soberbamente "Gracias a la vida", se antecipou em 1967 à repressão sanguinária que se abateria sobre a América Latina sob o coturno de ditaduras militares e que redundaria numa onda de extermínios e de suicídios.

Apesar da fama e fortuna com mais de 120 milhões de discos vendidos em 31 anos, a cantora Dalida suicidou-se aos 54 anos. Sentia-se cada vez mais sozinha e angustiada, terrivelmente arrependida por ter passado a vida inteira dedicada à sua carreira, desiludida com os seus três maridos, que só a fizeram sofrer e a privaram de seu maior desejo: o de ser mãe. Por sinal, todos tiveram o mesmo fim; um deles, o cantor Luigi Tenco, quando viu sua música "Ciao, amore, ciao" desclassificada no Festival da Canção de San Remo, resolveu sair de cena e não desfrutou do sucesso em que a canção se transformou no mundo inteiro.

O esporte favorito da mexicana Lupe Vélez era se relacionar sexualmente com todos os atores com quem contracenava, chegando a se casar até com o Tarzan, o ator Johnny Weissmuller. Aos 36 anos, grávida de seu último amante, planejou um suicídio melodramático com gardênias e velas em profusão, vestida de lamê, depois de cear com as amigas. A combinação da comida picante com 75 comprimidos de Seconal levou-a a se aliviar esbaforida, escorregando e caindo de cabeça na privada – tanto glamour para uma morte inglória.

Na carreira de grandes artistas, a memória procura primeiro os momentos de glória e aplausos. Debaixo do tapete proliferam tropeços, fracassos e rejeições que praticamente desaparecem ante o brilho que a obra ganha com a posteridade. Acreditando-se um autor frustrado, John Kennedy Toole matou-se aos 32 anos por não conseguir publicar "Uma confraria de tolos", a história de um intelectual gordo e desajeitado que tem empregos ruins e namoros complicados enquanto mora com a excêntrica mãe. História essa provavelmente inspirada em sua própria mãe, que convenceu a Universidade de Louisiana a publicar o livro doze anos depois, conquistando o Prêmio Pulitzer e sendo traduzido para dez idiomas.

Sócrates induzia as pessoas a conhecerem a si próprias e a observarem suas próprias contradições na perseguição da verdade. Recomendando assim fazê-lo sempre com fina ironia, para o que é dito não assumir um ar de verdade absoluta. Tamanha inteligência irrita as pessoas comuns. Sendo tachado de subversivo e corruptor da juventude, foi condenado ao suicídio e obrigado a ingerir cicuta, o veneno da moda na época.

O que foi válido para a democracia ateniense serviu para o império romano. Caio Petrônio, autor de "Satiricon", caiu em desgraça com Nero, que o intimou a cortar os pulsos. Optou por fazê-lo dentro de uma banheira, contando histórias aos amigos até morrer.

Bom seria que os suicidas pudessem ter se inteirado da significância das palavras de Spartacus: "O que importa não é vivermos ou morrermos, mas sim o que criamos, por mais breve que seja". Quando lutou por um mundo sem escravidão, que só viria a ser abolida dois mil anos depois. Por muito tempo se achou que, ao combater contra o império romano, ele teria morrido em vão – mais um escravo a cair no esquecimento. Mas tornou-se lenda e perdurou, permanecendo vivo através do boca a boca de outros escravos, bem como de reis e de aristocratas que se sentiam ameaçados com a perda de poder e de privilégios.

Spartacus propunha a união de homens considerados animais, filhos de rameiras e desprovidos de alma contra o opressor. Ser como o inimigo é ser vencido por ele, a bandeira de sua utopia. O suicida perde a batalha da vida quando permite que o inimigo entre em sua casa e o domine, tornando-se escravo de nefastos pensamentos e abraçando as trevas. Abandonando a vontade de viver e entregando-se à própria sorte. O suicídio em vida.

COMPAIXÃO PELOS ARTISTAS QUE SE SUICIDAM: UM COMENTÁRIO

Lenita Bentes

Gostaria, também, de comentar este capítulo. Gaio sempre me provoca, me faz pensar, o que é indispensável a uma parceria, seja ela de que natureza for.

Aí vai! Vou partir a palavra: com-paixão. Ah! A paixão! Que coisa sofrida e desencadeante do pior por supor uma unidade inexistente. Os artistas, na maioria das vezes, o conseguem com sua arte, para si e para os outros, ter e dar a ilusão do Um, o que não os impede de ir ao pior. Como podemos depreender do relato deste capítulo, eis que sentindo-se traídos pelo ideal, lá se vão eles embora, os artistas, não todos, felizmente. Há os que se vão com discrição, num quase absoluto silêncio. Durante algum tempo, conseguem manter-se atrelados ao ideal, ao inatingível e se jogam nele como peixes n'água. A correnteza os arrasta e caem no seco, na margem estreita do rio e ali morrem.

Quantos queríamos ter, ainda entre nós, e se foram por não se compadecer de si mesmos. Nós os queríamos tal qual eram. Muitos foram o sucesso pretendido mas, na ânsia da paixão, não se deram o tempo de colher o fruto de suas semeaduras.

Eles estão fora de todas as estatísticas porque já nasceram fora da norma, do universal que cabe à maioria dos humanos. Seres raros, mas nem por isso afortunados da alegria e de bens materiais.

"A vida é a arte do encontro ainda que hajam tantos desencontros pela vida". Disse e diz, ainda, Vinícius de Morais. Será que aprendemos com suas falas e seus atos? Falas e atos impossíveis de os deterem em suas paixões?

O pranteamento aos artistas são o prantear sobre o próprio ideal que, colocado sobre eles, permite a cada um esvaziar o peso que o ideal lhes causa, mas nem por isso deixam de exigir o ideal num outro.

Artistas são extra série e não carecem da compaixão. Morrem como os humanos, embora, quando vivos, sejam fatias do Deus vivo, se assim posso me exprimir, pois, como descrente, faço uso da palavra "Deus" para designar o Um que culturalmente a divindade encarna. O que fazer com os desencontros senão bordar em torno do vazio, o que faz de cada um no existir um artista. Artista na arte de retorcer os nós que se nos apresentam em efeitos de criação.

COMO O SABER JURÍDICO TRATA A PASSAGEM AO ATO SUICIDA?

Lenita Bentes

Juridicamente, a dignidade está entre os valores mais caros do homem. Várias vezes recorremos ao Direito para proteger a honra, a integridade física, a liberdade e a vida. A dignidade da pessoa humana e os direitos do homem, como condição de princípio maior, preside os direitos humanos fundamentais e deverá ser entendido segundo duas ordens de problemas e a eles se conformar:

1) o problema de sua posição perante o ser, na existência, o problema metafísico;

2) o problema de sua relação com o outro, na ação, o problema ético.[21]

A questão axial para o Direito é o direito sobre a vida e, em consequência, o direito sobre a morte. Assim sendo, vale lembrar que a formação ético-religiosa judaica determina que a vida é um valor supremo do homem. Um valor enraizado no

21 NEVES, C. A . "A dignidade da pessoa humana e direitos do homem". Em: *Digesta: Escritos acerca do Direito, do Pensamento Jurídico, da sua Metodologia e Outros.* Coimbra: Coimbra Ed, 1995, p. 426.

respeito a Deus e às suas leis, ou seja, que o dom da vida não foi entregue ao homem sem nenhuma finalidade: o homem deve ter uma direção, deve cumprir um papel. É um ser messiânico, mas que também atua cumprindo as leis e as *mitzvot* (plural de *mitzvat*, preceito). E é nisso que se reconhece uma especial dignidade. No entanto, a dignidade, como princípio intrinsecamente ligado ao valor da vida, encerra-se dentro dos estritos limites das leis religiosas escritas na Torá e no Talmud.

O suicídio é condenável por representar, ao mesmo tempo, a renúncia ao dom maior entregue por Deus e o dever de viver para cumprir os mandamentos. A cultura cristã herdou boa parte da base filosófica judaica, adjudicando para si os dez mandamentos, onde se encontra o peremptório "não matarás". Na perspectiva da ciência política, esse mandamento foi levado às últimas consequências. Foi criado o *habeas corpus* – traduzido como *há corpo* –, que nasceu da tensão existente entre o poder absoluto – os altos estratos sociais e o clero que consideravam que podiam determinar a morte de alguém – e as exigências de um povo que clamava por liberdade e garantias. No estado português, o soberano tinha o direito sobre a vida e a morte, e a tentativa de suicídio era punida como crime. Um modo de deter o direito de morte que somente os soberanos tinham o direito de exercer.

Para Cesare Beccaria[22], em seu livro *Dos direitos e das penas*, diz que: "A soberania e as leis não são mais do que a

22 BECCARIA, C. "Do suicídio". Em: *Dos delitos e das penas*. São Paulo: Atena, s/d, Capítulo XXXV, 1764, p. 91.

soma das pequenas porções de liberdade que cada um cedeu à sociedade. Representam a vontade geral, resultado das uniões das vontades particulares". Entende-se que a pena de morte entra em contradição com o contrato social, pois "se assim fosse, como conciliar esse princípio com a máxima que proíbe o suicídio? Ou o homem tem direito a se matar, ou não pode ceder este direito a outrem nem à sociedade inteira"[23]. Segundo Beccaria, Goethe considera que, se uma vida tornou-se indigna por males físicos ou morais, o suicídio, antes de configurar um ato indigno, será uma maneira corajosa e digna de o homem pôr termo à vida. Neste caso, o suicídio seria a afirmação de uma dignidade.

Então, Beccaria levanta uma questão: haveria graus de dignidade? Mas como procederia então o *corpus juris* fundado no princípio da dignidade da pessoa humana?

Várias situações podem ser levadas em consideração se avaliarmos a problemática da dignidade, em seu mais amplo sentido. De certa forma, estas questões foram lançadas por Beccaria, mas fornecemos aqui a nossa própria interpretação.

Primeiramente, o Código Penal não prevê punição à tentativa de suicídio, exatamente por ser um ato admitido e por estar no direito de liberdade do indivíduo. Assim, o ato suicida não é fonte criminógena, não carecendo de intervenção penal. Por outro lado, como diz Beccaria[24], inexiste aí uma

---

23 Ibidem
24 Ibidem

hierarquização de graus diferentes de dignidade, mas, tão somente, a ponderação entre o bem jurídico vida e a condição de dignidade. "Não há, pois, graus de dignidade"[25].

Além disso, o suicídio é um fenômeno que ocorre em todas as culturas e sua interpretação varia em cada época. Entre os gregos, com o surgimento da polis, modifica-se a concepção da vida e da morte. O surgimento de um Estado de cunho racional retirava do indivíduo o direito de uma decisão pessoal sobre a vida, não podendo suicidar-se sem prévia autorização da sociedade. De forma que o suicídio desautorizado era considerado uma transgressão. Contudo, em quase todos os lugares e épocas, o suicídio foi tolerado e definido como um ato corajoso ou nobre em batalhas ou como forma de negativa de rendição ou de traição de seu povo. Em certa época, negavam o sepultamento aos suicidas em locais sagrados, como disse acima. Na Roma antiga, reprovava-se o suicídio, pois denotava uma forma de enfraquecimento do grupo social. Entretanto, na doutrina estoica, na qual o homem não é senhor de seu destino, a aceitação do suicídio em determinadas situações, sempre de cunho nobre, foi agregada ao pensamento romano.

Devemos ainda acrescentar que várias conotações de cunho econômico e político deslegitimaram o suicídio. Por exemplo, os escravos estavam proibidos de se suicidar devido ao prejuízo que causariam ao senhor. Também os soldados porque enfraqueciam o exército e, sobretudo, porque seu ato

---

25 Ibidem

suicida era equivalente à deserção; mas, por outro lado, o soldado que não conseguisse se matar, era morto por deserção.

Podemos ainda observar que o suicídio tem uma inserção significativa no mito religioso, seja qual for. Para o cristianismo, o judaísmo e o islamismo, a vida é sagrada, é dom divino, portanto, o suicídio é um ato injusto na Idade Média, chegando mesmo a ser punido em termos de não merecer os rituais do velório e sepultamento. Naquela época, decidiram que apenas os indivíduos melancólicos e os loucos ficariam isentos de punição. Mais do que em qualquer outra religião, é no islamismo onde este ato é mais fortemente repudiado. Nesse caso, a família do suicida passa a ser desonrada e marginalizada.

No Ocidente, o Renascimento e o Iluminismo - com seus apelos à razão das ideias - fizeram com que fossem minimizadas as punições e censuras ao suicídio. Depois veio o Romantismo, que forneceu ao suicídio um lugar relevante e heroico. Mas foi com a Revolução Francesa que aconteceu de fato a primeira "descriminalização" do suicídio na Europa moderna. Podemos constatar que não há no Código Penal francês de 1971 qualquer menção a este ato, assim como anteriormente no Código Napoleônico de 1810.

No início do século XX, o suicídio passa a ser objeto de pesquisas psiquiátricas com Esquirol, em 1938, quando então ele passa a ser tratado no âmbito da doença mental. A postura religiosa também se modifica e o suicídio é encarado como decorrência de problemas psicológicos.

O termo suicídio é relativamente recente; é o nome que lhe dá a modernidade. Era um neologismo usado na Inglaterra desde o ano de 1630. Foi utilizado primeiramente, em língua francesa, pelo abade Desfontaines, em 1734 ou 1737, para significar o assassinato ou morte de si mesmo. Tem o seguinte significado etimológico: *sui caedes, matar a si mesmo.* Segundo Durkheim[26], em peças jurídicas usa-se o termo *autocídio*. Para este autor, chama-se *suicídio* todo caso de morte que resulte direta ou indiretamente de um ato positivo ou negativo, praticado pela própria vítima.

Em alguns textos jurídicos consultados para dar subsídios a este livro, observamos haver declarada dificuldade em fazer a distinção entre as tentativas de suicídio e os suicídios consumados, uma vez que diferentes juristas declaram ser impossível afirmar *a priori* se ambos os atos significam a mesma coisa ou coisas diferentes. No entanto, ambos os atos se distinguem na medida em que podemos observar pela escrita deixada pelo suicida que a evitação da falha é essencial para que tenha êxito. Já a tentativa de suicídio mostra que o descuido que permite escapar ao ato, indica que não havia intenção real de que este se realizasse. Muitas vezes é a maneira de dizer a alguém, aí sim um ato com endereçamento, sem fazer uso da palavra.

26 Ibidem

COMO O SABER MÉDICO TRATA A PASSAGEM AO ATO SUICIDA AO LONGO DOS ÚLTIMOS SÉCULOS?

Lenita Bentes

O saber médico investigou a morte voluntária em profundidade, dando relevo aos efeitos da obra literária no empuxo ao suicídio. Durante os séculos XIX e XX, o saber médico aconselhava que a imprensa evitasse comunicar e detalhar sobre o ato suicida, por levar em conta o seu forte poder de contágio. Fábio Henrique Lopes, em seu livro *Suicídio & saber médico*[27], acompanhou com exatidão a problematização do suicídio pela medicina brasileira ao longo do século XIX, mais especificamente de 1830 a 1900. O autor inclui ali um capítulo de fundamental importância, ou seja, "A busca dos efeitos da escrita sobre o ato suicida"[28], o qual servirá para investigar como o saber médico se posiciona.

Por exemplo, o autor mostra que, em 1841, o médico Muniz Barreto avaliou os efeitos desastrosos da literatura no

27 LOPES, F. H. (2008) *Suicídio & saber médico: estratégias históricas de domínio, controle e intervenção no Brasil do século XIX*. Rio de Janeiro: Apicuri, 2008.

28 Ibidem, pp. 158-174.

desencadeamento da passagem ao ato suicida. Ao refletir sobre a saúde dos homens de letras, Muniz Barreto diz: "um sistema nervoso que vive em um eretismo permanente, ou em uma espécie de intempérie, já por uma diátese de irritabilidade, faz com que ele caminhe a passos largos para o termo de sua inquieta existência."[29]

Nesse mesmo contexto, Geraldo Franco de Leão confirma que a leitura foi considerada a causa de muitos suicídios, uma vez que o escritor era antes um leitor de obras que se referiam ao suicídio. "A natureza teria dotado estes homens de uma excessiva capacidade de sentir, uma refinada delicadeza de percepção, que constituiriam o fundamento de seu caráter. Essas características fundamentais para a profissão das letras representariam um caminho quase certo ao *toedium vitae*, que os conduziriam a atentarem contra os seus próprios dias"[30]. Essas teses concluíam ser imprevisível o caráter nocivo da literatura e da leitura, pois em ambas há riscos, chegando a ponto de classificarem como causa fundamental para o suicídio as leituras que continham narrativas a respeito do tema.

Entre as causas fundamentais do suicídio estavam, segundo o médico Júlio Freitas de Albuquerque, os fatores de predisposição física – entre os quais algumas profissões, a vida sedentária, o celibato, a viuvez e os costumes; e dentre os determinantes morais, as paixões violentas, o ódio, o ciúme, a

---

29 LOPES, F. H. *Suicídio & saber médico: estratégias históricas de domínio, controle e intervenção no Brasil do século XIX*. Rio de Janeiro: Apicuri, 2008, p. 159.

30 Ibidem, p. 160.

vingança, o amor ferido, o desejo não satisfeito da união dos sexos e a exaltação da imaginação produzida por espetáculos, leituras e conversas[31]. Sugere ainda que, no final do século XIX, a literatura romântica tornou-se a responsável direta pelo suicídio, uma vez que narrava com requinte este tipo de morte. Portanto, a leitura de alguns escritores – tais como Rousseau, Goethe, Chateaubriand, Lamartine e outros – propiciavam o suicídio. A literatura que emerge na Europa no final do século XVIII permitiu a invasão da dúvida, do ceticismo e da imoralidade na alma dos homens.

Com uma posição idêntica, o médico Nabuco de Araújo reforça que tais leituras promoviam os suicídios premeditados, refletidos, que ocorriam em sua grande maioria porque a imprensa e a literatura não se uniam ao saber médico para, "guiados por ele, garantir uma vida ordenada e controlada"[32]. Considerava que os leitores mais frágeis deixavam-se contaminar pelas descrições feitas pela imprensa, assim como as histórias românticas revezando-se com os personagens ficcionais. As tendências do século XIX ligavam a paixão à morte como uma inspiração poética. Os heróis inspirariam o leitor a pôr fim ao sofrimento e ao impossível.

Segundo Lopes,

> Esquirol também sugeriu que a leitura de obras que elogiam o suicídio era a causa observável de morte. Segundo ele, a partir

31 Ibidem, p. 161.
32 Ibidem, p. 162.

> do momento em que os livros se tornaram acessíveis pelo baixo preço, começaram a oferecer proposições contra as crenças, os laços de família, os deveres sociais, inspirando assim desdém pela vida. (...) Dessa maneira, a leitura de obras que louvam o suicídio era, nas palavras dele, *tão funesta que madame Stael assegura que a leitura de Werther, de Goethe, produziu mais suicídios na Alemanha que todas as mulheres daquele país.*[33]

Neste ponto, me detenho em algumas reflexões. Em primeiro lugar, a autodestruição diz respeito à patologia da ética e podemos acrescentar que devemos tentar preservá-la a qualquer custo, pois o delírio da ciência impede que a natureza cumpra seu destino – morre –, em muitos casos, coadjuvado pelo discurso jurídico. A vida de todo ser vivo tende naturalmente à morte. Temos visto a sociedade impor limites éticos à ciência em sua patologia de preservação a qualquer custo. O cientista e o jurista podem, assim, encarnar o grande perverso moderno.

O leitor atento percebeu que procurei manifestar o que ou em que a psicanálise pode contribuir para jogar alguma luz sobre a questão do suicídio. Questão que ao longo dos tempos foi motivo de punição, segregação e sofrimento irremediável para os que tinham que se defrontar com ela.

---

33 LOPES, F. H. *Suicídio & saber médico: estratégias históricas de domínio, controle e intervenção no Brasil do século XIX*. Rio de Janeiro: Apicuri, 2008, p. 164.

O patológico implica necessariamente o ético. Neste sentido, a clínica psicanalítica aborda o *pathos* a partir do ético, uma vez que o sujeito aí se constitui. Assim, fomos levados a considerar o crime universal, mítico – o assassinato do pai – como fundamento da sociedade, distinguindo culpa de responsabilidade; ato criminoso de ato perverso; crimes da utilidade e crimes do gozo; crimes de massa (em que o visado não é a imagem de si mesmo, mas toda a humanidade), são os chamados crimes imotivados.

"SE A RELIGIÃO TRIUNFA É PORQUE A PSICANÁLISE TERÁ FRACASSADO" – J. LACAN

Lenita Bentes

À primeira leitura, esta frase traz um grande impacto. Mobiliza algo que toca numa escolha, que leva em consideração questões cruciais para a existência, uma forma de colocar-se no mundo. Tal formulação deve-se ao psicanalista francês Jacques Lacan, considerado, no meio psicanalítico, o maior leitor de Freud. Esta frase traz no bojo a diferença entre culpa e responsabilidade. A culpa supõe um ato real ou imaginário praticado pelo sujeito, a responsabilidade refere-se a uma escolha que se faz a todo momento, sejam bons ou maus, por assim dizer, os seus efeitos. Sempre escolhemos desde o momento em que entramos na linguagem e que esta nos atravessa. "De nossa posição de sujeitos sempre somos responsáveis." É outra formulação de Lacan muito conhecida por seu poder esclarecedor. Diante de cada acontecimento em nossa vida decidimos, por exemplo, se vamos ficar presos a ele ou se vamos dar-lhe um lugar menor, que não interfira em nossa vida nos fazendo sofrer ou nos inibindo ou nos angustiando. Esta escolha nos faz responsáveis de uma posição.

Aos impasses da vida respondemos com soluções absolutamente particulares, só depois sabendo se foram próprias ou não para o que queríamos atingir. Um impasse não é qualquer coisa. Com ele gastamos nossos nervos, nossa carne e, por vezes, respondemos com a própria vida.

É justamente quando fracassamos na resolução de um impasse que nos comovemos a ponto de chegar a extremos como a doença, o ato insensato ou com a solução mais radical, a morte voluntária.

Estes são os momentos em que pode ocorrer se recorrer a um analista. Nossos sintomas, ou seja, nossas soluções usuais, já não dão conta de nos defender dos impactos da vida. Há um impasse, uma questão que não pode ser respondida como as outras, uma resolução deve ser tomada e o sujeito entra, ou em paralisia, ou seja, em inibição, ou em depressão, o que tornou-se comum no mundo midiático em que vivemos. Já não se pode sofrer como antigamente. É preciso uma pílula, algo que cure imediatamente, ou prometa isso. Tudo imediatamente! Sendo assim, estaríamos vivendo no mundo contemporâneo, a proibição de sofrer, se entristecer e mesmo chorar. Imediatamente um diagnóstico: "Você está deprimido e deve ser medicado sem demora". Nunca foi tão fácil não curar, mas esta já é outra questão.

Pois bem, vivemos, hoje, mais em meio a certezas do que considerando as dúvidas que, muitas vezes, nos fazem pensar, nos entristecem, mas nos fazem refletir sem a obrigação de estarmos em permanente alegria. Por outro lado, vivemos sob a pressão do medo, intranquilos, aterrorizados. Como estar no mundo?

A repartição dos bens de consumo, a repartição da cultura, a repartição dos sexos, o comércio das crianças, mostram a vigência de um mestre moderno, o mercado, que parte e o reparte segundo o lucro de poucos custeado pelo pagamento de muitos. A ferocidade do capitalismo criou um mestre feroz que ordena gozar até a morte.

O sujeito procura uma saída, muitas vezes, na religião para regular este gozo desesperado. Assim, proliferam os templos religiosos que deslocam o centro do consumo do mercado dos bens para o mercado do consumo religioso.

O beco ou a encruzilhada está posta: o mercado não oferta o que promete e a divindade se alimenta do sacrifício de seus crentes tendo o dízimo como objeto privilegiado. O gozo dos bens é irrefutável e, se traz um prazer fátuo, traz uma promessa que aplaca as frustrações: a vida eterna.

A psicanálise nada promete senão o encontro com o real, quero dizer, com o impossível de tudo resolver, de tudo controlar, de tudo poder dizer, portanto, de sempre se entender. As relações sempre levarão ao des-entendimento, e que teremos que admitir que a bonança, a paz, o amor sempre escaparão ainda que queiramos crer e determinar-lhes a duração.

A dificuldade não estaria no fato de, com nossos próprios meios subjetivos, encontrar saídas nem sempre gloriosas tal como são exigidas na contemporaneidade? E por que não as encontramos? Este é o ponto crucial e a razão do impacto produzido pela frase que intitula este capítulo.

Por que há impasses, constantes para uns e não tão frequentes para outros? É possível uma vida que não os contenha? A solução do impasse é sempre solitária e individual. Finalmente sempre faremos o que desejamos, ainda que este fazer, nem sempre seja favorável.

Quanto a isto, podemos levantar duas questões: por que tal coisa me aconteceu? E o que tenho a ver com o ocorrido? Podemos responder, a primeira, dizendo que Deus ou a divindade o quis assim. Escolher o caminho da divindade, do sentido, do "Deus assim o quis", encerra a questão e exclui o sujeito que a enunciou de qualquer responsabilidade. Se optarmos pela segunda pergunta, teremos muito trabalho pela frente.

Para aqueles que se implicam nos acontecimentos de suas vidas a ponto de se questionar e desejar livrar-se de seus efeitos, a alternativa é buscar um analista, o qual, ao ofertar sua escuta, faz o sujeito se ouvir e se encontrar naquilo que diz.

Para outros, ouvir a palavra de Deus, na Santa Escritura, ajuda a acalmar o excesso de pensamentos culposos que tem como efeito a desresponsabilização de seus atos e de suas questões, prometendo não mais repetir o que designam de erros. A religião, o próprio Freud o diz, faz parte da cultura, faz encarnar o Pai com tanta força que faz com que muitos se sintam em paz e jamais voltem a se questionar sobre aquilo que há horas atrás parecia intransponível. Encontram a proteção no Pai!

Esta desresponsabilização se dá pela via do sentido, portanto, pelo fechamento do inconsciente, onde o sujeito pode encontrar-se no que diz. Se tudo tem uma explicação e se ela provém da divindade, só me resta aceitá-la como verdade e como vontade universal. Se, no entanto, eu não puder compreender por que Deus é mais condescendente com meu vizinho que comigo, então estou me pondo em questão. E, se estou me pondo em questão, isto envolve um outro que não fique no silêncio da divindade a esperar que eu lhe capte os sinais e o sentido.

Se a explicação religiosa não me satisfaz, se desconfio de que há algo meu nesta história, então a psicanálise pode me descortinar um horizonte em que a contingência virá e devo saber fazer com ela algo que a torne suportável para mim. O que quer dizer que não a posso controlar ou desviá-la de mim por meios religiosos, mágicos ou onipotentes. Trata-se de não crer que possa estar imune à contingência mesmo com toda a boa vontade da divindade. Trata-se de não acreditar que possa ser premiado por minhas boas e belas ações. Se eu as fizer, tanto melhor para mim ou para o outro, mas isso não me trará mais que um prazer pessoal.

Assim sendo, como podem ver, se a religião não fracassa, quero dizer, se ela responde as questões do sujeito, não haverá nenhuma necessidade de dirigir um apelo a um analista, à psicanálise, pois a religião terá triunfado.

Se há fracasso do sentido, então há sujeito nos acontecimentos. Não há imunidade para a contingência. Ela virá. Resta-me saber valer dela, saber fazer com ela algo que não me deixe aniquilado, mas este é um caminho que, raramente, se encontra sozinho. Há uma travessia a ser feita que demanda acompanhamento, dadas as sutilezas que esta impõe.

Ou nos conduzimos pelo sentido e a religião triunfa, ou nos orientamos pelo fracasso que somos em nossa incompletude de sujeito. Somos, também, os nossos fracassos. Aonde há sujeito do inconsciente, há fracasso. Só então a psicanálise pode ter lugar.

Para muitos, a religião é indispensável e chega a promover a paz duradoura. Para outros, ela dura muito pouco e sequer faz parte das suas cogitações.

Há que respeitar as escolhas de cada um, mas há que se ter a clareza de que se tratam de caminhos diferentes com causa e objeto muito diferentes.

Observação: Extraí esta frase título de uma conferência de Jacques Lacan, "A terceira", proferida em Roma, em 1974, quando concedeu uma entrevista à imprensa na qual, entre outras questões, fala de psicanálise e religião. Recortei, aqui, um pequeno trecho dessa entrevista como se pode seguir:

Sra. Y. – O senhor disse: "se a religião triunfa, é porque a psicanálise terá fracassado". (...) Como o senhor explica o triunfo da religião sobre a psicanálise?

J. Lacan – Sim, ela triunfará não apenas sobre a psicanálise, ela triunfará sobre muitas outras coisas. Não podemos sequer imaginar o quanto a religião é poderosa. Há pouco falei algo do real. A religião terá, aqui também, muito mais razões para apaziguar os corações, se assim posso dizer, porque o real, por menos que a ciência ponha nele algo de seu, a ciência da qual falava há pouco é algo novo, ela introduzirá um monte de coisas absolutamente estarrecedoras na vida de cada um. E a religião, sobretudo a verdadeira, possui recursos que nem sequer presumimos.[34]

---

34 Lacan, J. El triunfo de la religión. Buenos Aires: Paidós, 2005.

CONCLUSÃO

Lenita Bentes

Para não concluir! É o que gostaria que o leitor extraísse desta leitura. Concluir poderia sugerir um saber sobre o sujeito que passa ao ato do suicídio. Creio ser esta uma impossibilidade radical. Nada podemos saber sobre outro sujeito e muito menos sobre o ato, suicida ou não, já que o verdadeiro ato sempre nos ultrapassa.

Se algo podemos saber sobre o sujeito, isto só é possível quando ele diz de si. O mais importante do que se diz vem por um tropeço na fala ou por um sonho, onde podemos captar algo de seu desejo. Também, no dito espirituoso, quando o humor contorna a dificuldade de um dizer. Outras vezes falamos com nosso corpo ou com nossos pensamentos dos nossos sintomas.

Muitas são as vezes em que somos surpreendidos por certos atos nossos ou de outros, só podendo dizer deles algum tempo depois. Somos assim, muitas vezes, ultrapassados por nossos atos. Como disse, um verdadeiro ato sempre nos ultrapassa.

Cada capítulo, uma questão, e, para cada questão, um capítulo. Assim nasceu este livro, que não pretende concluir, mas abrir para um desconhecido que assim permanecerá, oferecendo a chance de abordar o que pode passar do terror do ato ao ato de amor por aquele que perdemos, sem que o eternizemos pelo ato final.

Não há nada mais a compreender por parte de quem o pratica. Apenas não lhe foi possível achar a saída. Insurreto, insubmisso à dor de existir, saltou os muros da vida aonde há que haver submissão para que possa haver sujeito.

A brusquidão do ato e a ultrapassagem no tempo abalam a razão e mortificam o coração daqueles que estavam num outro tempo, num tempo onde há tempo para mudar, sempre.

A sequência dos capítulos é a das questões que são formuladas, incessantemente, quando o suicídio é deflagrado onde, então, muitas são as versões.

No tempo da esperança, há tempo para compreender, para buscar a razão que se foi junto com o ato cometido, há tempo para dar um lugar digno àquele que cometeu, segundo a moral, um ato indigno.

Privamos com algumas destas pessoas, com outras nem tanto, mas todas elas deixaram outras marcas que não apenas a de seu modo de partir.

No decorrer dos capítulos, podemos depreender uma discussão, a mais, entre psicanálise e religiosidade. Divergências frutíferas e ternas que valeram bons momentos de conversa como os que tivemos eu e Gaio.

Nosso encontro foi o de uma feliz contingência da qual soubemos nos valer a ponto de convertê-lo num trabalho de reflexão que, quem sabe, assim o desejamos, possa atenuar algumas certezas e fazer crescer algumas reflexões. Não propiciando respostas, mas reflexões sobre o impossível de tudo compreender. Pois quanto menos compreendemos, mais vivos estamos! Quanto às exigências, apenas desumanizam o homem.